U0136799

中國美術全集

中國美術全集

石窟寺雕塑二

全國百佳圖书出版單位
ARTTIME 時代出版
時代出版傳媒股份有限公司
黄山書社

目　　録

山西雲岡石窟（公元四六〇年至公元九〇七年）

頁碼	名稱	時代	出土發現地	收藏地
277	二佛并坐	北魏	山西大同市雲岡石窟第6窟	
277	供養天	北魏	山西大同市雲岡石窟第6窟	
278	腋下誕生	北魏	山西大同市雲岡石窟第6窟	
279	乘象歸城	北魏	山西大同市雲岡石窟第6窟	
280	飛天	北魏	山西大同市雲岡石窟第6窟	
280	飛天	北魏	山西大同市雲岡石窟第6窟	
281	飛天	北魏	山西大同市雲岡石窟第6窟	
281	飛天	北魏	山西大同市雲岡石窟第6窟	
282	立佛	北魏	山西大同市雲岡石窟第6窟	
284	立佛	北魏	山西大同市雲岡石窟第6窟	
284	立佛	北魏	山西大同市雲岡石窟第6窟	
285	脅侍菩薩	北魏	山西大同市雲岡石窟第6窟	
285	脅侍菩薩	北魏	山西大同市雲岡石窟第6窟	
286	立佛	北魏	山西大同市雲岡石窟第6窟	
287	坐佛	北魏	山西大同市雲岡石窟第6窟	
288	脅侍菩薩	北魏	山西大同市雲岡石窟第6窟	
288	佛塔	北魏	山西大同市雲岡石窟第6窟	
289	佛龕雕像	北魏	山西大同市雲岡石窟第6窟	
290	立佛	北魏	山西大同市雲岡石窟第6窟	
291	供養菩薩	北魏	山西大同市雲岡石窟第6窟	
292	交脚菩薩	北魏	山西大同市雲岡石窟第6窟	
293	立佛	北魏	山西大同市雲岡石窟第6窟	
293	弟子	北魏	山西大同市雲岡石窟第6窟	
294	交脚菩薩	北魏	山西大同市雲岡石窟第7窟	
294	雙佛	北魏	山西大同市雲岡石窟第7窟	
296	供養菩薩	北魏	山西大同市雲岡石窟第7窟	
296	供養菩薩	北魏	山西大同市雲岡石窟第7窟	
298	供養菩薩	北魏	山西大同市雲岡石窟第7窟	
299	伎樂天	北魏	山西大同市雲岡石窟第7窟	
299	伎樂天	北魏	山西大同市雲岡石窟第7窟	
300	飛天	北魏	山西大同市雲岡石窟第7窟	
300	飛天	北魏	山西大同市雲岡石窟第7窟	
301	供養菩薩	北魏	山西大同市雲岡石窟第8窟	
302	供養菩薩	北魏	山西大同市雲岡石窟第8窟	

頁碼	名稱	時代	出土發現地	收藏地
302	供養菩薩	北魏	山西大同市雲岡石窟第8窟	
303	鳩摩羅天	北魏	山西大同市雲岡石窟第8窟	
304	佛龕群	北魏	山西大同市雲岡石窟第9窟	
305	明窗雕飾	北魏	山西大同市雲岡石窟第9窟	
306	梵志	北魏	山西大同市雲岡石窟第9窟	
306	婆羅門	北魏	山西大同市雲岡石窟第9窟	
307	二佛并坐	北魏	山西大同市雲岡石窟第9窟	
308	飛天	北魏	山西大同市雲岡石窟第9窟	
309	屋形佛龕	北魏	山西大同市雲岡石窟第9窟	
310	交脚菩薩	北魏	山西大同市雲岡石窟第9窟	
312	佛龕群	北魏	山西大同市雲岡石窟第9窟	
313	佛龕群	北魏	山西大同市雲岡石窟第9窟	
314	供養菩薩	北魏	山西大同市雲岡石窟第9窟	
314	群像	北魏	山西大同市雲岡石窟第9窟	
315	佛龕群	北魏	山西大同市雲岡石窟第9窟	
316	鬼子母 坐佛	北魏	山西大同市雲岡石窟第9窟	
317	騎象菩薩	北魏	山西大同市雲岡石窟第9窟	
318	菩薩	北魏	山西大同市雲岡石窟第9窟	
319	蓮花 飛天	北魏	山西大同市雲岡石窟第9窟	
320	群像	北魏	山西大同市雲岡石窟第10窟	
322	佛龕雕像	北魏	山西大同市雲岡石窟第10窟	
323	坐佛	北魏	山西大同市雲岡石窟第10窟	
323	思惟菩薩	北魏	山西大同市雲岡石窟第10窟	
324	佛龕群	北魏	山西大同市雲岡石窟第10窟	
325	佛龕群	北魏	山西大同市雲岡石窟第10窟	
326	蓮花 飛天	北魏	山西大同市雲岡石窟第10窟	
327	七佛	北魏	山西大同市雲岡石窟第11窟	
328	佛龕群	北魏	山西大同市雲岡石窟第11窟	
329	佛塔	北魏	山西大同市雲岡石窟第11窟	
329	佛塔	北魏	山西大同市雲岡石窟第11窟	
330	交脚菩薩	北魏	山西大同市雲岡石窟第11窟	
331	明窗雕飾	北魏	山西大同市雲岡石窟第12窟	
332	七佛	北魏	山西大同市雲岡石窟第13窟	
334	脅侍菩薩	北魏	山西大同市雲岡石窟第13窟	

頁碼	名稱	時代	出土發現地	收藏地
334	脅侍菩薩	北魏	山西大同市雲岡石窟第13窟	
335	飛天	北魏	山西大同市雲岡石窟第24窟	
335	飛天	北魏	山西大同市雲岡石窟第34窟	
336	飛天	北魏	山西大同市雲岡石窟第30窟	
337	倚坐佛	唐	山西大同市雲岡石窟第3窟	
338	脅侍菩薩	唐	山西大同市雲岡石窟第3窟	

山西天龍山石窟（公元五三四年至公元九〇七年）

頁碼	名稱	時代	出土發現地	收藏地
339	坐佛	東魏	山西太原市天龍山石窟第2窟	
340	倚坐佛	東魏	山西太原市天龍山石窟第2窟	
341	坐佛	東魏	山西太原市天龍山石窟第3窟	
342	倚坐佛	北齊	山西太原市天龍山石窟第3窟	
343	坐佛	隋	山西太原市天龍山石窟第8窟	
344	倚坐佛	唐	山西太原市天龍山石窟第9窟	
345	十一面觀音菩薩	唐	山西太原市天龍山石窟第9窟	
346	普賢菩薩	唐	山西太原市天龍山石窟第9窟	
347	三尊像	唐	山西太原市天龍山石窟第18窟	
347	坐佛	唐	山西太原市天龍山石窟第21窟	美國哈佛大學福格美術館

山西其它石窟（公元六一八年至公元一六四四年）

頁碼	名稱	時代	出土發現地	收藏地
348	天尊	唐	山西太原市龍山石窟第5窟	
348	真人	蒙古汗國	山西太原市龍山石窟第2窟	
349	真人	蒙古汗國	山西太原市龍山石窟第1窟	
349	鳳凰祥雲	蒙古汗國	山西太原市龍山石窟第6窟	
350	水陸畫	明	山西平順縣寶岩寺石窟水陸殿	
350	水陸畫	明	山西平順縣寶岩寺石窟水陸殿	

頁碼	名稱	時代	出土發現地	收藏地
351	水陸畫	明	山西平順縣寶岩寺石窟水陸殿	
351	水陸畫	明	山西平順縣寶岩寺石窟水陸殿	

河南龍門石窟（公元四九四年至公元九〇七年）

頁碼	名稱	時代	出土發現地	收藏地
352	坐佛	北魏	河南洛陽市龍門石窟古陽洞	
353	菩薩	北魏	河南洛陽市龍門石窟古陽洞	
353	菩薩	北魏	河南洛陽市龍門石窟古陽洞	
354	龕楣雕飾	北魏	河南洛陽市龍門石窟古陽洞	
355	北海王元詳造像龕	北魏	河南洛陽市龍門石窟古陽洞	
356	比丘慧成造像龕	北魏	河南洛陽市龍門石窟古陽洞	
357	飛天 供養人	北魏	河南洛陽市龍門石窟古陽洞	
357	供養比丘	北魏	河南洛陽市龍門石窟古陽洞	
358	龕楣雕飾	北魏	河南洛陽市龍門石窟古陽洞	
358	龕楣雕飾	北魏	河南洛陽市龍門石窟古陽洞	
359	金剛力士	北魏	河南洛陽市龍門石窟賓陽中洞	
359	阿難	北魏	河南洛陽市龍門石窟賓陽中洞	
360	坐佛	北魏	河南洛陽市龍門石窟賓陽中洞	
361	迦葉	北魏	河南洛陽市龍門石窟賓陽中洞	
362	立佛 菩薩	北魏	河南洛陽市龍門石窟賓陽中洞	
363	立佛	北魏	河南洛陽市龍門石窟賓陽中洞	
364	飛天	北魏	河南洛陽市龍門石窟賓陽中洞	
364	飛天	北魏	河南洛陽市龍門石窟賓陽中洞	
365	皇帝禮佛圖	北魏	河南洛陽市龍門石窟賓陽中洞	美國紐約大都會博物館
365	帝后禮佛圖	北魏	河南洛陽市龍門石窟賓陽中洞	美國堪薩斯納爾遜－乂金斯美術館
366	飛天	北魏	河南洛陽市龍門石窟慈香洞	
366	維摩詰	北魏	河南洛陽市龍門石窟慈香洞	
367	立佛	北魏	河南洛陽市龍門石窟蓮花洞	
367	菩薩	北魏	河南洛陽市龍門石窟蓮花洞	
368	蓮花	北魏	河南洛陽市龍門石窟蓮花洞	
368	飛天	北魏	河南洛陽市龍門石窟蓮花洞	

頁碼	名稱	時代	出土發現地	收藏地
369	飛天	北魏	河南洛陽市龍門石窟蓮花洞	
369	供養人	北魏	河南洛陽市龍門石窟蓮花洞	
370	飛天	北魏	河南洛陽市龍門石窟蓮花洞	
370	菩薩	北魏	河南洛陽市龍門石窟普泰洞	
371	頭光雕飾	北魏	河南洛陽市龍門石窟彌勒龕	
371	伎樂天	北魏	河南洛陽市龍門石窟彌勒龕	
372	坐佛	北魏	河南洛陽市龍門石窟魏字洞	
373	菩薩	北魏	河南洛陽市龍門石窟魏字洞	
373	坐佛	北魏	河南洛陽市龍門石窟天統洞	
374	菩薩	北魏	河南洛陽市龍門石窟天統洞	
374	供養人	北魏	河南洛陽市龍門石窟來思九洞	
375	獅子	北魏	河南洛陽市龍門石窟六獅洞	
375	獅子	北魏	河南洛陽市龍門石窟六獅洞	
376	獅子	北魏	河南洛陽市龍門石窟六獅洞	
376	獅子	北魏	河南洛陽市龍門石窟六獅洞	
377	弟子	北魏	河南洛陽市龍門石窟皇甫公窟	
378	禮佛圖	北魏	河南洛陽市龍門石窟皇甫公窟	
379	禮佛圖	北魏	河南洛陽市龍門石窟皇甫公窟	
380	供養菩薩	北魏	河南洛陽市龍門石窟皇甫公窟	
380	金剛力士	北魏	河南洛陽市龍門石窟火燒洞	
381	金剛力士	北魏	河南洛陽市龍門石窟驪驤將軍洞	
381	供養人	東魏	河南洛陽市龍門石窟路洞	
382	坐佛	北齊	河南洛陽市龍門石窟藥方洞	
383	坐佛	唐	河南洛陽市龍門石窟潛溪寺	
384	阿難 菩薩 天王	唐	河南洛陽市龍門石窟潛溪寺	
385	坐佛	唐	河南洛陽市龍門石窟賓陽北洞	
386	菩薩 阿難	唐	河南洛陽市龍門石窟賓陽北洞	
387	坐佛	唐	河南洛陽市龍門石窟賓陽南洞	
389	菩薩	唐	河南洛陽市龍門石窟賓陽南洞	
389	立佛	唐	河南洛陽市龍門石窟賓陽南洞	
390	倚坐佛	唐	河南洛陽市龍門石窟敬西洞	
391	菩薩群像	唐	河南洛陽市龍門石窟敬西洞	
392	力士	唐	河南洛陽市龍門石窟敬善寺	
392	力士	唐	河南洛陽市龍門石窟敬善寺	

頁碼	名稱	時代	出土發現地	收藏地
393	坐佛	唐	河南洛陽市龍門石窟敬善寺	
394	迦葉 菩薩 天王	唐	河南洛陽市龍門石窟敬善寺	
395	天王	唐	河南洛陽市龍門石窟敬善寺	
395	阿難	唐	河南洛陽市龍門石窟敬善寺	
396	優填王	唐	河南洛陽市龍門石窟優填王像龕	
396	托鉢佛	唐	河南洛陽市龍門石窟托鉢佛龕	
397	倚坐佛	唐	河南洛陽市龍門石窟雙窑南洞	
398	坐佛	唐	河南洛陽市龍門石窟萬佛洞	
399	力士	唐	河南洛陽市龍門石窟萬佛洞	
400	伎樂天	唐	河南洛陽市龍門石窟萬佛洞	
400	伎樂天	唐	河南洛陽市龍門石窟萬佛洞	
401	藻井雕飾	唐	河南洛陽市龍門石窟萬佛洞	
402	倚坐佛	唐	河南洛陽市龍門石窟惠簡洞	
403	阿難 菩薩	唐	河南洛陽市龍門石窟惠簡洞	
404	五尊像	唐	河南洛陽市龍門石窟奉先寺	
406	盧舍那佛	唐	河南洛陽市龍門石窟奉先寺	
408	飛天	唐	河南洛陽市龍門石窟奉先寺	
408	飛天	唐	河南洛陽市龍門石窟奉先寺	
409	阿難 右脅侍菩薩	唐	河南洛陽市龍門石窟奉先寺	
412	迦葉 左脅侍菩薩	唐	河南洛陽市龍門石窟奉先寺	
414	天王 力士	唐	河南洛陽市龍門石窟奉先寺	
416	伎樂天	唐	河南洛陽市龍門石窟古上洞	
416	伎樂天	唐	河南洛陽市龍門石窟古上洞	
417	飛天	唐	河南洛陽市龍門石窟古上洞	
417	飛天	唐	河南洛陽市龍門石窟古上洞	
418	飛天	唐	河南洛陽市龍門石窟古上洞	
418	飛天	唐	河南洛陽市龍門石窟古上洞	
419	伎樂	唐	河南洛陽市龍門石窟八作司洞	
419	伎樂	唐	河南洛陽市龍門石窟八作司洞	
420	伎樂	唐	河南洛陽市龍門石窟八作司洞	
420	獅子	唐	河南洛陽市龍門石窟龍華寺洞	
421	力士	唐	河南洛陽市龍門石窟極南洞	
421	菩薩	唐	河南洛陽市龍門石窟二蓮花洞	
422	飛天	唐	河南洛陽市龍門石窟四雁洞	

頁碼	名稱	時代	出土發現地	收藏地
422	飛天	唐	河南洛陽市龍門石窟四雁洞	
423	羅漢	唐	河南洛陽市龍門石窟看經寺	
428	大日如來	唐	河南洛陽市龍門石窟擂鼓臺南洞	
430	觀世音菩薩	唐	河南洛陽市龍門石窟萬佛溝北崖救苦觀世音像龕	
430	迦葉	唐	河南洛陽市龍門石窟萬佛溝北崖高平郡王洞	
431	力士	唐	河南洛陽市龍門石窟	河南洛陽市龍門石窟擂鼓臺
431	佛像頭部	唐	河南洛陽市龍門石窟	日本大阪市立美術館

河南鞏縣石窟（公元四九四年至公元九〇七年）

頁碼	名稱	時代	出土發現地	收藏地
432	立佛	北魏	河南鞏義市鞏縣石窟第1窟	
433	佛龕	北魏	河南鞏義市鞏縣石窟第1窟	
434	菩薩	北魏	河南鞏義市鞏縣石窟第1窟	
435	禮佛圖	北魏	河南鞏義市鞏縣石窟第1窟	
436	禮佛圖	北魏	河南鞏義市鞏縣石窟第1窟	
438	龕楣雕飾	北魏	河南鞏義市鞏縣石窟第1窟	
439	飛天	北魏	河南鞏義市鞏縣石窟第1窟	
439	飛天	北魏	河南鞏義市鞏縣石窟第1窟	
440	維摩詰	北魏	河南鞏義市鞏縣石窟第1窟	
441	坐佛	北魏	河南鞏義市鞏縣石窟第1窟	
442	坐佛	北魏	河南鞏義市鞏縣石窟第2窟	
442	异獸	北魏	河南鞏義市鞏縣石窟第3窟	
443	禮佛圖	北魏	河南鞏義市鞏縣石窟第3窟	
443	伎樂	北魏	河南鞏義市鞏縣石窟第3窟	
444	千佛	北魏	河南鞏義市鞏縣石窟第3窟	
445	佛龕	北魏	河南鞏義市鞏縣石窟第3窟	
446	飛天	北魏	河南鞏義市鞏縣石窟第3窟	
446	飛天	北魏	河南鞏義市鞏縣石窟第3窟	
447	神王	北魏	河南鞏義市鞏縣石窟第3窟	
447	禮佛圖	北魏	河南鞏義市鞏縣石窟第4窟	
448	窟頂雕飾	北魏	河南鞏義市鞏縣石窟第4窟	

頁碼	名稱	時代	出土發現地	收藏地
449	神王	北魏	河南鞏義市鞏縣石窟第4窟	
449	神王	北魏	河南鞏義市鞏縣石窟第4窟	
450	神王	北魏	河南鞏義市鞏縣石窟第4窟	
450	神王	北魏	河南鞏義市鞏縣石窟第4窟	
451	力士	北魏	河南鞏義市鞏縣石窟第4窟	
451	神王	北魏	河南鞏義市鞏縣石窟第4窟	
452	禮佛圖	北魏	河南鞏義市鞏縣石窟第4窟	
453	蓮花 飛天	北魏	河南鞏義市鞏縣石窟第5窟	
454	佛像頭部	北魏		河南鞏義市鞏縣石窟寺陳列室

河南其它石窟（公元三八六年至公元九〇七年）

頁碼	名稱	時代	出土發現地	收藏地
455	立佛	北魏	河南偃師市水泉石窟	
456	坐佛	北魏	河南偃師市水泉石窟	
457	立佛	北魏	河南洛陽市萬佛山石窟	
458	坐佛	北齊	河南安陽縣靈泉寺石窟大留聖窟	
459	神王	北齊	河南安陽縣靈泉寺石窟大留聖窟	
459	神王	北齊	河南安陽縣靈泉寺石窟大留聖窟	
460	那羅延神王	隋	河南安陽縣靈泉寺石窟大住聖窟	
461	迦毗羅神王	隋	河南安陽縣靈泉寺石窟大住聖窟	
462	坐佛	隋	河南安陽縣靈泉寺石窟大住聖窟	
463	坐佛	隋	河南安陽縣靈泉寺石窟大住聖窟	
464	傳法聖師圖	隋	河南安陽縣靈泉寺石窟大住聖窟	
465	羅剎捨身聞偈圖	北齊	河南安陽縣小南海石窟中窟	
465	坐佛	北齊	河南安陽縣小南海石窟西窟	
466	立佛	北齊	河南安陽縣小南海石窟西窟	
467	坐佛	唐	河南浚縣千佛洞石窟第1窟	
468	菩薩	唐	河南浚縣千佛洞石窟第1窟	
468	力士	唐	河南浚縣千佛洞石窟第2窟	

河北響堂山石窟（公元五四三年至公元五七七年）

頁碼	名稱	時代	出土發現地	收藏地
469	坐佛	北齊	河北邯鄲市北響堂石窟第9窟	
470	坐佛	北齊	河北邯鄲市北響堂石窟第9窟	
471	菩薩	北齊	河北邯鄲市北響堂石窟第9窟	
471	异獸	北齊	河北邯鄲市北響堂石窟第9窟	
472	异獸	北齊	河北邯鄲市北響堂石窟第9窟	
472	樹神王	北齊	河北邯鄲市北響堂石窟第9窟	
473	象神王	北齊	河北邯鄲市北響堂石窟第9窟	
473	神王	北齊	河北邯鄲市北響堂石窟第9窟	
474	火神王	北齊	河北邯鄲市北響堂石窟第9窟	
475	塔形龕	北齊	河北邯鄲市北響堂石窟第9窟	
476	雕飾	北齊	河北邯鄲市北響堂石窟第9窟	
476	坐佛	北齊	河北邯鄲市北響堂石窟第4窟	
477	雕飾	北齊	河北邯鄲市北響堂石窟第4窟	
477	獅子	北齊	河北邯鄲市北響堂石窟第4窟	
478	菩薩	北齊	河北邯鄲市北響堂石窟第4窟	
479	蓮花	北齊	河北邯鄲市北響堂石窟第3窟	
479	坐佛	北齊	河北邯鄲市北響堂石窟第3窟	
480	坐佛	北齊	河北邯鄲市北響堂石窟第3窟	
481	力士	北齊	河北邯鄲市北響堂石窟第3窟	
481	門楣雕飾	北齊	河北邯鄲市北響堂石窟第3窟	
482	坐佛	北齊	河北邯鄲市南響堂石窟第1窟	
483	阿彌陀净土變	北齊	河北邯鄲市南響堂石窟第1窟	
483	佛龕雕像	北齊	河北邯鄲市南響堂石窟第1窟	
484	風神王	北齊	河北邯鄲市南響堂石窟第5窟	
484	樹神王	北齊	河北邯鄲市南響堂石窟第5窟	
485	蓮花 飛天	北齊	河北邯鄲市南響堂石窟第7窟	
486	倚坐佛	北齊	河北邯鄲市南響堂石窟第7窟	
486	地神	北齊	河北邯鄲市南響堂石窟第7窟	

河北其它石窟（公元五五〇年至公元一一二七年）

頁碼	名稱	時代	出土發現地	收藏地
487	僧俗禮佛圖	北齊	河北邯鄲市水浴寺石窟第1窟	
488	菩薩	北宋	河北邯鄲市老爺山石窟	
489	立佛	北宋	河北邯鄲市老爺山石窟	
490	菩薩	北宋	河北邯鄲市老爺山石窟	
491	三彩羅漢	遼	河北易縣白玉山峨嵋寺八佛窪	美國紐約大都會博物館
492	三彩羅漢	遼	河北易縣白玉山峨嵋寺八佛窪	加拿大多倫多皇家安大略博物館
493	三彩羅漢	遼	河北易縣白玉山峨嵋寺八佛窪	美國費城大學博物館
494	三彩羅漢	遼	河北易縣白玉山峨嵋寺八佛窪	美國堪薩斯納爾遜－艾金斯美術館

山東石窟（公元三八六年至公元九〇七年）

頁碼	名稱	時代	出土發現地	收藏地
495	坐佛	北魏	山東濟南市歷城區黄石崖大窟	
496	坐佛	隋	山東濟南市歷城區青銅山	
497	五尊像	隋	山東濟南市長清區蓮花洞石窟	
498	坐佛	隋	山東濟南市長清區蓮花洞石窟	
499	弟子 菩薩	隋	山東濟南市長清區蓮花洞石窟	
500	倚坐佛	唐	山東濟南市歷城區千佛崖石窟劉玄意造像龕	
501	坐佛	隋	山東青州市駝山石窟第2窟	
502	菩薩	隋	山東青州市駝山石窟第2窟	
502	菩薩	隋	山東青州市駝山石窟第2窟	
503	坐佛	隋	山東青州市駝山石窟第3窟	
504	菩薩	隋	山東青州市駝山石窟第3窟	
505	坐佛	唐	山東青州市駝山石窟第1窟	
506	坐佛	隋	山東青州市雲門山石窟第1大龕	
507	菩薩	隋	山東青州市雲門山石窟第2大龕	
507	菩薩裙帶	隋	山東青州市雲門山石窟第2大龕	

頁碼	名稱	時代	出土發現地	收藏地
508	倚坐佛	唐	山東青州市雲門山石窟第3窟	
509	力士	唐	山東青州市雲門山石窟第4窟	
509	力士	唐	山東青州市雲門山石窟第4窟	

遼寧萬佛堂石窟（公元四九九年至公元一二三四年）

頁碼	名稱	時代	出土發現地	收藏地
510	交脚彌勒佛	北魏	遼寧義縣萬佛堂石窟西區第6窟	
511	菩薩	北魏	遼寧義縣萬佛堂石窟西區第6窟	
511	飛天	遼金	遼寧義縣萬佛堂石窟西區第1窟	

陝西大佛寺石窟（公元五五七年至公元九〇七年）

頁碼	名稱	時代	出土發現地	收藏地
512	坐佛	唐	陝西彬縣大佛寺石窟第20窟	
514	坐佛	唐	陝西彬縣大佛寺石窟第20窟	
515	菩薩	唐	陝西彬縣大佛寺石窟第20窟	
516	立佛	唐	陝西彬縣大佛寺石窟第23窟	
517	三尊像	唐	陝西彬縣大佛寺石窟第23窟	
518	立佛	唐	陝西彬縣大佛寺石窟第23窟	
518	立佛	唐	陝西彬縣大佛寺石窟第23窟	
519	文殊菩薩	唐	陝西彬縣大佛寺石窟第14窟	

陝西藥王山摩崖（公元五八一年至公元九〇七年）

頁碼	名稱	時代	出土發現地	收藏地
520	菩薩	隋	陝西銅川市耀州區藥王山摩崖	
521	二觀世音菩薩	唐	陝西銅川市耀州區藥王山摩崖	

頁碼	名稱	時代	出土發現地	收藏地
522	立佛	唐	陝西銅川市耀州區藥王山摩崖	
523	觀世音菩薩	唐	陝西銅川市耀州區藥王山摩崖	
523	菩薩	唐	陝西銅川市耀州區藥王山摩崖	
524	觀世音菩薩	唐	陝西銅川市耀州區藥王山摩崖	
524	坐佛	唐	陝西銅川市耀州區藥王山摩崖	
525	地藏菩薩	唐	陝西銅川市耀州區藥王山摩崖	

陝西慈善寺石窟（公元六〇一年至公元九〇七年）

頁碼	名稱	時代	出土發現地	收藏地
526	坐佛	唐	陝西麟游縣慈善寺石窟第1窟	
527	坐佛	唐	陝西麟游縣慈善寺石窟第1窟	
528	坐佛	唐	陝西麟游縣慈善寺石窟第2窟	
530	坐佛	唐	陝西麟游縣慈善寺石窟第2窟	
531	菩薩	唐	陝西麟游縣慈善寺石窟第2窟	
531	菩薩	唐	陝西麟游縣慈善寺石窟第2窟	
532	迦葉	唐	陝西麟游縣慈善寺石窟第2窟	
532	阿難	唐	陝西麟游縣慈善寺石窟第2窟	

陝西鐘山石窟（公元一〇六七年至公元一一二七年）

頁碼	名稱	時代	出土發現地	收藏地
533	佛龕	北宋	陝西子長縣鐘山石窟第3窟	
534	迦葉	北宋	陝西子長縣鐘山石窟第3窟	
535	坐佛	北宋	陝西子長縣鐘山石窟第3窟	
536	菩薩 迦葉	北宋	陝西子長縣鐘山石窟第3窟	
537	阿難	北宋	陝西子長縣鐘山石窟第3窟	
537	迦葉	北宋	陝西子長縣鐘山石窟第3窟	
538	坐佛	北宋	陝西子長縣鐘山石窟第3窟	
539	阿難 菩薩	北宋	陝西子長縣鐘山石窟第3窟	

頁碼	名稱	時代	出土發現地	收藏地
540	文殊菩薩	北宋	陝西子長縣鐘山石窟第3窟	
541	菩薩	北宋	陝西子長縣鐘山石窟第3窟	
541	水月觀音	北宋	陝西子長縣鐘山石窟第3窟	
542	普賢菩薩	北宋	陝西子長縣鐘山石窟第3窟	
543	羅漢	北宋	陝西子長縣鐘山石窟第3窟	

陝西北部其它石窟（公元六一八年至公元一二三四年）

頁碼	名稱	時代	出土發現地	收藏地
544	坐佛	唐	陝西富縣石泓寺石窟第1窟	
545	佛壇	金	陝西富縣石泓寺石窟第2窟	
546	坐佛	金	陝西富縣石泓寺石窟第2窟	
546	菩薩	金	陝西富縣石泓寺石窟第2窟	
547	水月觀音菩薩	金	陝西富縣石泓寺石窟第2窟	
547	水月觀音菩薩	金	陝西富縣石泓寺石窟第2窟	
548	菩薩	唐	陝西洛川縣史家河石窟	
549	涅槃圖	北宋	陝西富縣閣子頭石窟第1窟	
550	倚坐佛	北宋	陝西黄陵縣雙龍萬佛寺	
551	阿育王施土緣	北宋	陝西黄陵縣雙龍萬佛寺	
552	千手觀世音菩薩	北宋	陝西黄陵縣雙龍萬佛寺	
553	倚坐佛	北宋	陝西黄陵縣雙龍萬佛寺	
553	觀世音菩薩	北宋	陝西黄陵縣雙龍萬佛寺	
554	水月觀音菩薩	北宋	陝西黄陵縣雙龍萬佛寺	

寧夏須彌山石窟（公元五三五年至公元九〇七年）

頁碼	名稱	時代	出土發現地	收藏地
555	佛龕	北周	寧夏固原市須彌山石窟第45窟	
556	坐佛	北周	寧夏固原市須彌山石窟第45窟	
557	伎樂	北周	寧夏固原市須彌山石窟第45窟	

頁碼	名稱	時代	出土發現地	收藏地
557	伎樂	北周	寧夏固原市須彌山石窟第45窟	
558	佛龕	北周	寧夏固原市須彌山石窟第46窟	
559	坐佛	北周	寧夏固原市須彌山石窟第51窟	
561	坐佛	隋	寧夏固原市須彌山石窟第67窟	
562	立佛	唐	寧夏固原市須彌山石窟第1窟	
563	倚坐佛	唐	寧夏固原市須彌山石窟第5窟	
564	倚坐佛	唐	寧夏固原市須彌山石窟第105窟	
565	菩薩	唐	寧夏固原市須彌山石窟第105窟	
565	菩薩	唐	寧夏固原市須彌山石窟第105窟	

雲岡石窟

位于山西大同市武州山南麓。開鑿于北魏文成帝和平年間（公元460–465年），北魏的窟龕開鑿延續到孝明帝正光年間（公元520–522年）。唐代對個別造像進行了補雕，遼、金至清有窟前建築的營建。現存窟龕五十三個，石雕造像五萬一千餘身。

脅侍菩薩

北魏

位于山西大同市雲岡石窟第17窟東壁第二層佛龕左側。菩薩頭戴高冠，繒帶上揚，斜披絡腋。

脅侍菩薩

北魏

位于山西大同市雲岡石窟第17窟南壁第二層佛龕右側。菩薩戴化佛寶冠，繒帶上揚，戴項圈、臂釧，胸挂蛇形珮、瓔珞，斜披絡腋，身繞帔帛。

立佛

北魏

位于山西大同市雲岡石窟第18窟北壁。

高1550厘米。

立佛雙耳垂肩，内着僧祇支，外着偏衫袈裟，袈裟上雕滿千佛，左手拾衣角。

立佛局部之一

立佛局部之二

菩薩 弟子

北魏

位于山西大同市雲岡石窟第18窟北壁東側。

菩薩身部已風化無存，頭部保存完好。菩薩頭戴寶冠，冠中有化佛、蓮花和忍冬紋，其上雕五弟子像。

菩薩 弟子局部

立佛

北魏

位于山西大同市雲岡石窟第18窟西壁。

高910厘米。

佛上方有華蓋，頭光外圈爲火焰紋，内圈爲蓮瓣和坐佛。立佛肉髻光滑，雙耳垂肩，着圓領通肩袈裟，衣紋綫呈水波狀居中下垂，右手作施無畏印。

弟子

北魏

位于山西大同市雲岡石窟第18窟北壁東側。

弟子深目高鼻，嘴角上翹，笑容可掬。

二佛并坐（上圖）

北魏

位于山西大同市雲岡石窟第18窟南壁上層。

龕内雕二佛并坐，龕外兩側各雕一供養菩薩。

交脚菩薩

北魏

位于山西大同市雲岡石窟第18窟南壁下層。

盝形帷帳龕内交脚菩薩坐于獅子座上，兩側各雕一思惟菩薩坐于束帛座上。

坐佛

北魏

位于山西大同市雲岡石窟第19窟北壁。

高1370厘米。

坐佛高肉髻，雙耳垂肩，着袒右袈裟，衣紋爲階梯式；右手作施無畏印，左手拾衣角。

倚坐佛

北魏

位于山西大同市雲岡石窟第19窟西壁脅洞。

佛身光外圈爲火焰紋，内圈爲飛天與坐佛。佛肉髻光滑，雙耳垂肩，着褒衣博帶袈裟。

坐佛

北魏

位于山西大同市雲岡石窟第20窟。

高1400厘米。

坐佛爲釋迦，身光飾火焰紋、飛天、供養菩薩、坐佛等。佛内着僧祇支，外披袒右偏衫袈裟，衣紋綫凸起，有厚重感；手作禪定印。

山西雲岡石窟（公元四六〇年至公元九〇七年）

坐佛局部

立佛

北魏

位于山西大同市雲岡石窟第20窟東壁。

立佛爲彌勒，頭光外圈爲火焰紋，内圈爲坐佛、供養天、蓮瓣紋等。立佛着通肩袈裟，衣紋綫厚重，呈波狀居中下垂；右手作施無畏印，左手下垂。

飛天 供養菩薩

北魏

位于山西大同市雲岡石窟第20窟西壁上層。

上部飛天戴寶冠、項圈、臂釧，袒上身，繞帔帛，手托花盤，作飛翔狀。下部菩薩雙手持供養物，胡跪作供養狀。

中心塔柱

北魏

位于山西大同市雲岡石窟第2窟。

中心塔柱爲仿木結構，宏偉華麗。三層，每層四面皆有佛龕。

坐佛

北魏

位于山西大同市雲岡石窟第5窟北壁。

高1700厘米。

坐佛背光外圈爲火焰紋，内圈爲飛天和坐佛。坐佛後代重妝，螺髻，着雙領下垂式袈裟，衣服厚重；手作禪定印。

立佛

北魏

位于山西大同市雲岡石窟第5窟西壁。

立佛舟形背光，外圈爲火焰紋，内圈有坐佛。立佛高肉髻，眉間有白毫，身穿褒衣博帶袈裟，領襟下垂，右手作施無畏印。

坐佛

北魏

位于山西大同市雲岡石窟第5窟樓閣上層東側。

佛頭光外圈飾蓮瓣紋。佛高肉髻，面相清秀。

佛龕群

北魏

位于山西大同市雲岡石窟第5窟西壁南側。

下層龕爲圓拱龕，内爲釋迦、多寶二佛并坐；中層爲盝頂垂帳龕，内爲交脚彌勒菩薩坐于獅子座上；上層龕内爲坐佛和交脚菩薩。

交脚菩薩

北魏

位于山西大同市雲岡石窟第5窟西壁第3層第2龕。

龕内雕交脚菩薩，頭戴高冠，身披帔帛，面相豐圓。兩側各跪一弟子，龕外左右各一脅侍菩薩。

佛龕群

北魏

位于山西大同市雲岡石窟第5窟南壁。

壁上部開一較大的明窗，明窗兩側各雕一方形佛塔和諸多大小不一的佛龕，下方雕兩層規整的佛龕。

山西雲岡石窟（公元四六〇年至公元九〇七年）

佛龕群

北魏

位于山西大同市雲岡石窟第5窟中層。

上列八個圓拱龕，龕楣雕七佛；下列八個盝形龕，龕楣雕花卉。龕内皆爲坐佛。

佛塔

北魏

位于山西大同市雲岡石窟第5窟南壁明窗西側。

佛塔塔基爲疊澀須彌座式。塔身五層，内開圓拱龕，龕中爲坐佛；塔刹上相輪七重。

菩薩

北魏

位于山西大同市雲岡石窟第5窟南壁拱門西側。
菩薩戴花冠，肩上繞帔帛，右手托博山爐，作供養狀。

坐佛

北魏

位于山西大同市雲岡石窟第 6 窟中心塔柱南面下層。

龕内正中雕一坐佛，有舟形背光和火焰紋頭光，兩側雕脅侍菩薩和供養天。

倚坐佛

北魏

位于山西大同市雲岡石窟第6窟中心塔柱西面下層。龕中佛倚坐，着褒衣博帶式袈裟，身光内圈爲飛天與坐佛，外圈爲火焰紋。圓拱龕楣内爲坐佛，龕楣尾爲二龍反顧；龕兩側爲力士；上方爲盝頂形，方格内爲飛天，下方有童子拾瓔珞。

群像

北魏

位于山西大同市雲岡石窟第6窟中心塔柱西面下層。圖下部爲菩薩、力士等，上部爲佛傳故事。

菩薩

北魏

位于山西大同市雲岡石窟第6窟中心塔柱東面下層。

龕中菩薩戴高冠，冠中有坐佛和供養天人；着雙襟下垂長袍，衣角外揚，交脚而坐。龕楣内爲坐佛和飛天。

群像

北魏

位于山西大同市雲岡石窟第6窟中心塔柱西面下層。

右側下層爲供養菩薩，戴寶冠袒上身，肩繞帔帛；左側下層一菩薩左手托博山爐作供養狀。其上方爲太子誕生、九龍灌頂佛傳故事。

二佛并坐

北魏

位于山西大同市雲岡石窟第6窟中心塔柱北面下層。

龕中爲釋迦、多寶二佛，皆内着僧祇支，外着雙領下垂袈裟，衣紋爲階梯式。龕楣内爲坐佛和飛天，上爲盝頂和仿檐椽結構。

供養天

北魏

位于山西大同市雲岡石窟第6窟中心塔柱東面下層佛龕左側。

供養天束高髻，身繞帔帛交于身前，長裙裙角外揚，雙手合掌于胸前作供養狀。

腋下誕生

北魏

位于山西大同市雲岡石窟第6窟中心塔柱西面下層。

摩耶夫人無頭光，倚于樹下，腋下雕一嬰兒，爲悉達多太子，下有一天人雙手持繒巾接護嬰兒。

乘象歸城

北魏

位于山西大同市雲岡石窟第6窟中心塔柱西面下層。

乘于象上者爲摩耶夫人，手抱太子；前方有伎樂天彈琵琶和吹長笛，後有一隨從執傘蓋。

飛天（上圖）

北魏

位于山西大同市雲岡石窟第６窟中心塔柱下層東龕。
飛天着短襦長裙，身繞帔帛。

飛天

北魏

位于山西大同市雲岡石窟第6窟中心塔柱東面下層帷幕。
飛天有頭光，身繞帔帛，下有瓔珞、花環。

飛天（上圖）

北魏

位于山西大同市雲岡石窟第6窟中心塔柱下層東龕。飛天有圓頭光，着短裙，身繞帔帛，手持花束。

飛天

北魏

位于山西大同市雲岡石窟第6窟中心塔柱下層南龕。飛天上着短襦，下穿長裙，手執花穗，帔帛飛舞。

立佛

北魏

位于山西大同市雲岡石窟第6窟中心塔柱南面上層佛龕。圖中立佛背光外圈爲火焰紋，內圈爲飛天和坐佛像。佛內着僧祇支，外披褒衣博帶袈裟，衣帶結外露下垂。兩側爲塔形柱，上爲華蓋頂。

山西雲岡石窟（公元四六〇年至公元九〇七年）

立佛

北魏

位于山西大同市雲岡石窟第6窟中心塔柱南面上層佛龕。佛火焰背光，内着僧祇支，外披褒衣博帶袈裟，右領襟敷搭左臂，衣角外張，赤雙足立于蓮臺上，作説法狀。

立佛

北魏

位于山西大同市雲岡石窟第6窟中心塔柱西面上層。立佛高肉髻，面相豐圓，雙耳垂肩，長眉秀目。

脅侍菩薩

北魏

位于山西大同市雲岡石窟第6窟中心塔柱西面上層佛龕左側。

菩薩戴花鬘冠，冠中有化佛，帔帛繞肩交于腹前，赤足立于蓮臺上。

脅侍菩薩

北魏

位于山西大同市雲岡石窟第6窟中心塔柱東面上層佛龕右側。

菩薩桃形頭光，戴花冠，帔帛交于腹前，下束裙，赤足立于蓮臺上。

立佛

北魏

位于山西大同市雲岡石窟第6窟東壁上層南側。

立佛上方爲華蓋，内飾三角垂帳紋；背光外圈爲火焰紋，内爲坐佛。立佛内着僧祇支，外披褒衣博帶袈裟，右領襟敷搭左臂，作説法狀。兩側爲脅侍菩薩和供養天人。

坐佛

北魏

位于山西大同市雲岡石窟第6窟東壁中層南側。

佛結跏趺坐，火焰背光，褒衣博帶，作説法狀。兩側聽法弟子和菩薩或立或跪。臺前有二跪鹿，表現鹿野苑初轉法輪的故事。龕楣爲盝頂垂幔，内爲飛天。

佛塔

北魏

位于山西大同市雲岡石窟第6窟南壁中層中部。

佛塔塔基爲須彌座式，塔身五層，塔檐爲漢式屋檐，下面開龕，有二佛并坐、交脚菩薩、坐佛等。塔頂山花蕉葉中爲覆鉢，上有三塔刹。

脅侍菩薩

北魏

位于山西大同市雲岡石窟第6窟東壁上層。

菩薩頭戴花冠，身着長裙。上部雕供養群像。

佛龕雕像

北魏

位于山西大同市雲岡石窟第6窟南壁中層中部。

漢式屋頂下坐佛結跏趺坐于叠澀須彌座上，背光外圈火焰紋，内圈爲坐佛。佛左側穿短袖對襟長袍，戴尖頂帽，手執麈尾者爲維摩詰；右側頭戴寶冠，着短衫長裙者爲文殊菩薩。下方爲供養天人。

立佛

北魏

位于山西大同市雲岡石窟第6窟西壁上層。

龕内立佛上雕華蓋，身後雕舟形火焰背光，兩側雕脅侍菩薩。

供養菩薩

北魏

位于山西大同市雲岡石窟第6窟西壁上層。

供養菩薩皆高髮髻，飾圓形頭光，身着短衫長裙，或雙手合十，或演奏樂器。

交脚菩薩

北魏

位于山西大同市雲岡石窟第6窟西壁中層南側。

龕内菩薩戴高冠，冠中飾蓮花；上着短衫，下束裙，交脚而坐。兩側爲供養菩薩，手托供養物。上爲盝形垂幔頂，龕楣格内雕供養天人。

立佛

北魏

位于山西大同市雲岡石窟第6窟西壁上層中部佛龕左側。佛頭光内圈爲蓮瓣紋，外圈爲飛天。立佛波狀肉髻，面相豐滿，内着僧祇支，外披褒衣博帶袈裟，衣紋爲階梯式；右手作施無畏印。

弟子

北魏

位于山西大同市雲岡石窟第6窟西壁上層中部。弟子圓形頭光，着袒右偏衫袈裟，雙手捧供養物。

雙佛

北魏

位于山西大同市雲岡石窟第7窟後室西壁。

二龕均爲盝形帷幕龕，龕楣内雕飛天，下垂帷幕。一龕内爲結跏趺坐佛和二菩薩，另一龕爲交脚坐佛和二菩薩。二龕間雕四層佛塔，地神托舉塔身。

交脚菩薩

北魏

位于山西大同市雲岡石窟第7窟後室南壁第5層東側。

龕内菩薩戴寶冠，冠中有化佛，戴項圈、瓔珞，身繞帔帛，交脚坐于須彌座上。上爲盝形龕楣，方格内爲飛天。

供養菩薩

北魏

位于山西大同市雲岡石窟第7窟後室南壁明窗西壁。

菩薩戴寶冠，身繞絡腋，站于束帛座上。

供養菩薩

北魏

位于山西大同市雲岡石窟第7窟後室南壁。

龕内雕六身供養菩薩，胡跪而對，皆束高髻，身披絡腋，頸飾項圈，彩帶翻飛。龕下層中部雕一摩尼寶珠，兩側有伎樂演奏樂器。

供養菩薩

北魏

位于山西大同市雲岡石窟第7窟後室南壁拱門上側。

供養菩薩束高髻，戴項圈，身繞帔帛，胡跪，作供養狀。

伎樂天（上圖）

北魏

位于山西大同市雲岡石窟第7窟後室南壁拱門上側。

飛天上身繞帔帛，下束貼體裙，雙手執排簫作吹奏狀。

伎樂天

北魏

位于山西大同市雲岡石窟第7窟後室南壁拱門上側。

伎樂天圓臉長耳，身披彩帶，上身裸露，下着長裙，口吹横笛。

飛天

北魏

位于山西大同市雲岡石窟第7窟後室窟頂西部。

飛天有頭光，束高髻，袒上身，繞帔帛，下束裙，作飛翔狀。

飛天

北魏

位于山西大同市雲岡石窟第7窟後室窟頂中部南側。

飛天皆有頭光，束高髻，袒上身，繞帔帛，下束裙，作飛翔狀。

供養菩薩

北魏

位于山西大同市雲岡石窟第8窟後室南壁拱門上側。

圖中二菩薩束高髻，戴項圈、臂釧，手執供養物，一胡跪，一交脚而坐，作供養狀。

供養菩薩

北魏

位于山西大同市雲岡石窟第8窟後室南壁拱門上側。

供養菩薩束高髻，長目細眉，呈笑意。

供養菩薩

北魏

位于山西大同市雲岡石窟第8窟後室南壁明窗西壁。

菩薩戴高寶冠，有頭光，斜披絡腋，戴項圈和臂釧，站于束帛座上，雙手合十作供養狀。

鳩摩羅天

北魏

位于山西大同市雲岡石窟第8窟後室南壁拱門西壁。

鳩摩羅天五頭六臂，鬈髮，袒上身，戴臂釧，手持日、月、弓、鳥等，坐于孔雀背上。其上方有一飛天。

佛龕群

北魏

位于山西大同市雲岡石窟第9窟前室北壁和西壁。

壁上開數龕，龕内雕坐佛、脅侍菩薩等；龕外雕童子、飛天和紋飾等。

明窗雕飾

北魏

位于山西大同市雲岡石窟第9窟前室北壁。

明窗爲拱門狀，門楣上雕坐佛和飛天，楣尾爲二龍反顧，下雕二手持骷髏的婆羅門；内壁雕一騎象菩薩，有天人奏樂、執傘蓋跟隨，表現乘象入胎佛傳故事。

婆羅門

北魏

位于山西大同市雲岡石窟第9窟前室北壁明窗東側。

婆羅門束高髻，袒上身，手持骷髏頭，坐于束帛座上。此圖似表現骷髏仙因緣故事。

梵志

北魏

位于山西大同市雲岡石窟第9窟前室北壁明窗西側。

梵志長鬚束髮，瘦骨嶙峋，爲老者形象。

二佛并坐

北魏

位于山西大同市雲岡石窟第9窟前室北壁第3層西側。

龕中爲釋迦、多寶二佛并坐，頭光和身光外圈爲火焰紋，内圈爲坐佛與飛天。佛結跏趺坐，着偏衫。龕楣爲飛天與坐佛，上方欄楣拱門内爲伎樂天。

飛天

北魏

位于山西大同市雲岡石窟第9窟前室窟頂西部。

飛天雙臂繞帔帛，繞團蓮花作飛翔狀。

屋形佛龕

北魏

位于山西大同市雲岡石窟第9窟前室西壁。

屋脊上栖三隻金翅鳥，四塔柱將龕分爲三間。中間雕交脚佛，兩梢間各一菩薩，其上雕飛天。

交脚菩薩

北魏

位于山西大同市雲岡石窟第9窟前室北壁第2層西側。龕楣爲盝頂狀，方格内爲飛天；龕柱面飾忍冬紋，柱頭爲科林斯式。龕内菩薩戴寶冠，冠中有化佛，斜披絡腋，戴項圈、瓔珞、臂釧，交脚坐于獅子座上。

交脚菩薩局部

佛龕群

北魏

位于山西大同市雲岡石窟第9窟前室西壁。

上部佛龕内爲交脚佛，坐于獅子座上，龕柱爲多層塔式，柱頭爲蕉葉，内有化生童子。下部爲二坐佛龕，龕楣尾爲二龍反顧，下有一力士雙手托柱頭。

佛龕群

北魏

位于山西大同市雲岡石窟第9窟後室西壁。

壁面雕刻分四層。第一層風化嚴重；第二層龕内雕交脚菩薩與供養天；第三層龕内雕供養群像；第四層南側開上下兩龕，北側開一龕。

供養菩薩

北魏

位于山西大同市雲岡石窟第9窟後室西壁第3層南側。

供養菩薩皆有頭光，袒上身，繞帔帛，胡跪，雙手合十作供養狀。

群像

北魏

位于山西大同市雲岡石窟第9窟後室南壁。

拱門上部雕飛天、供養天、坐佛，上方爲漢式屋檐。

佛龕群

北魏

位于山西大同市雲岡石窟第9窟後室南壁東側。

下層爲盝頂龕，龕内坐佛手結禪定印，兩側爲供養天人。中層左側爲一立佛，着偏衫，作説法狀，上有華蓋；右側有一屋形龕，内有坐佛，兩側供養人着對襟窄袖服。上層爲屋形龕，坐佛着偏衫，作説法狀。

鬼子母　坐佛

北魏

位于山西大同市雲岡石窟第9窟後室南壁第2、3層西側。下層有二人袒上身，繞帔帛，坐于束帛座上，右側之人手中有一嬰孩，此爲鬼子母因緣故事局部，手中抱嬰孩者即爲鬼子母，左側之人爲其丈夫般闍迦。上方盝形龕内爲坐佛，通身火焰背光，兩側爲供養天人。

騎象菩薩

北魏

位于山西大同市雲岡石窟第9窟後室南壁明窗西壁。

菩薩斜披絡腋，戴寶冠、項圈，游戲坐于象背上，左右有伎樂天和執傘蓋天人。

菩薩

北魏

位于山西大同市雲岡石窟第9窟後室南壁明窗東壁。

菩薩左手提净瓶，右手持一長莖蓮花，坐于蓮花上，下爲蓮池。兩側爲供養天人，下方有二禮拜比丘。

蓮花 飛天

北魏

位于山西大同市雲岡石窟第9窟後室南壁明窗頂部。

中心爲一蓮花，四周繞飛天。飛天飄巾飛揚，姿態各异，作飛翔狀。

群像

北魏

位于山西大同市雲岡石窟第10窟前室北壁拱門上部。

中央爲須彌山，上有動物、花木；山腰纏繞二龍；兩側多頭多臂者爲摩醯首羅天和鳩摩羅天，雙手托日月。下方爲童子拾瓔珞，中間繪動物和花木。

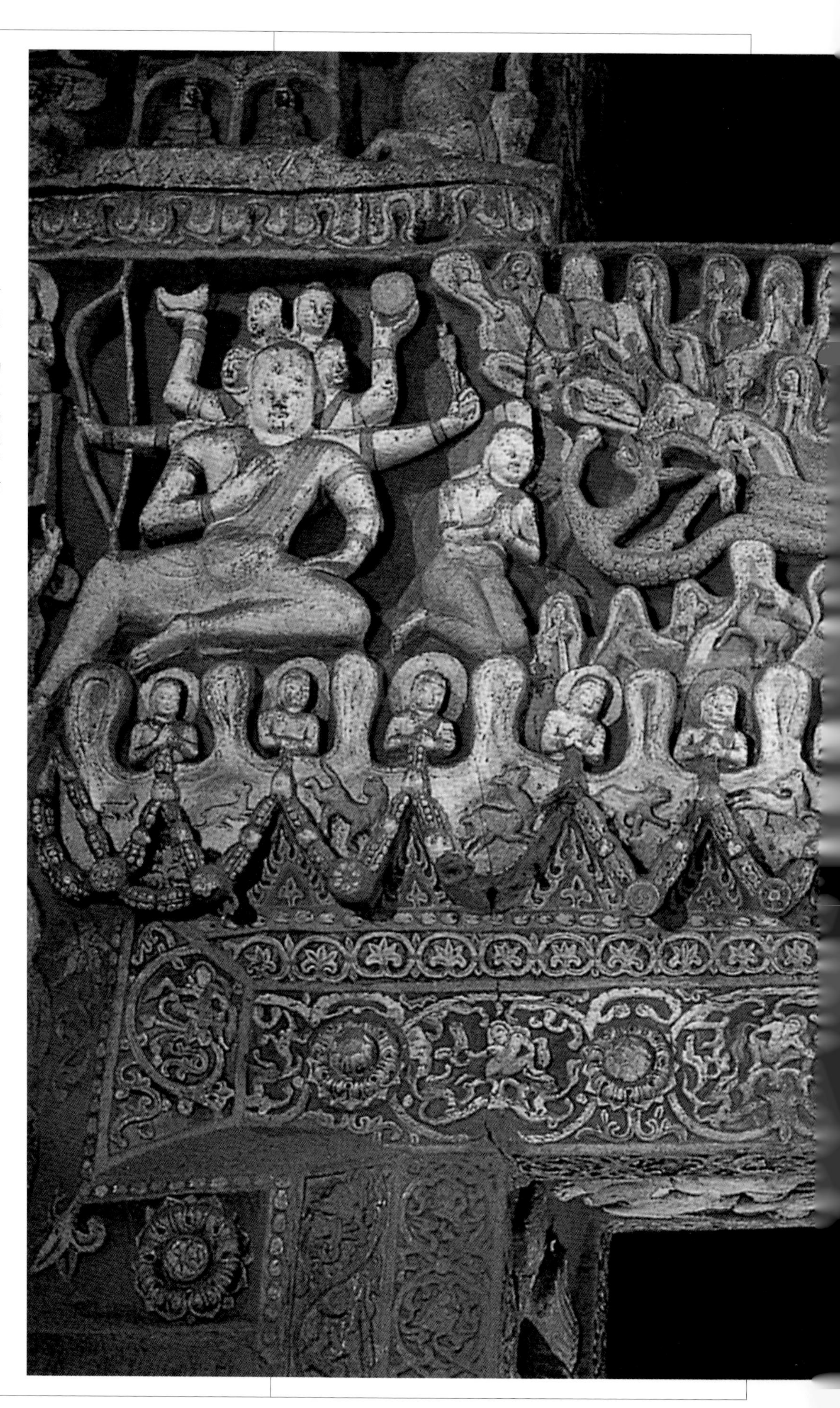

佛龕雕像

北魏

位于山西大同市雲岡石窟第10窟前室東壁第3層。

屋形龕頂有金翅鳥，龕内坐佛着偏衫，手作施無畏印，交脚坐于獅子座上，兩側爲塔式龕柱。柱頭爲蕉葉，中間有童子。兩側爲脅侍菩薩，手提净瓶，其上方爲飛天。

思惟菩薩

北魏

位于山西大同市雲岡石窟第10窟後室東壁。

菩薩頭光外圈爲火焰紋，内圈爲忍冬紋。菩薩戴花冠，冠中有化佛；戴耳璫、項圈、瓔珞、臂釧，身繞帔帛，游戲坐，作思惟狀。

坐佛

北魏

位于山西大同市雲岡石窟第10窟前室東壁第2層南側。

龕内雕坐佛，火焰紋背光，背光外雕飛天。左右兩側塔柱各爲三層，内均雕一小坐佛。

佛龕群

北魏

位于山西大同市雲岡石窟第10窟後室南壁。

下層龕内雕菩薩像三身；中層龕内雕坐佛，坐佛兩側雕供養群像；上層開方形帷幕龕，龕内雕坐佛，兩側雕供養群像。上部雕坐佛列龕。

佛龕群

北魏

位于山西大同市雲岡石窟第10窟後室南壁西側。

圖中下層盝頂龕内爲坐佛和供養天人；上層龕表現魔王波旬率衆恐嚇釋迦，被佛所降伏的佛傳故事。

蓮花 飛天

北魏

位于山西大同市雲岡石窟第10窟後室南壁明窗頂部。

中心爲蓮花，四周爲飛天和飛行比丘，皆斜披絡腋，作飛翔狀。

七佛

北魏

位于山西大同市雲岡石窟第11窟西壁。

西壁最大的屋形龕内雕七佛，現存五尊，皆褒衣博帶。壁上布滿各式佛龕，龕内有坐佛、交脚菩薩等形象。

佛龕群

北魏

位于山西大同市雲岡石窟第11窟西壁。

下層爲二座圓拱龕，中層和上層均爲盝形龕。龕内或雕交脚菩薩，或雕一佛二菩薩，或雕二交脚菩薩并坐。

佛塔

北魏

位于山西大同市雲岡石窟第11窟西壁第3層南側。

塔基爲須彌座式，兩側有力士；塔身爲樓閣式，七層，漢式屋檐，内雕坐佛、二佛并坐等佛像形式；塔頂有山花蕉葉，塔刹相輪七重，兩側懸幡。

佛塔

北魏

位于山西大同市雲岡石窟第11窟南壁第4層東側。

佛塔塔基雕鮮卑族服飾供養人和比丘，中間爲一博山爐；塔身三層，皆有屋檐，内爲二佛并坐、交脚菩薩、坐佛；塔頂有蕉葉，中有童子和覆鉢，上爲塔刹，相輪六重，兩側懸幡。

交脚菩薩

北魏

位于山西大同市雲岡石窟第11窟東壁第3層中部。盝形龕楣内爲飛天；龕内菩薩戴寶冠，冠内有化佛，長髮披肩，戴耳璫、項圈，挂瓔珞、蛇形飾，身繞帔帛，交脚而坐。龕柱位置爲二樓閣式塔。下方爲供養比丘和世俗供養人，鮮卑族裝束，中間爲一博山爐。

明窗雕飾

北魏

位于山西大同市雲岡石窟第12窟後室南壁明窗及窟頂。

明窗四側爲忍冬紋，内穿插飛禽走獸；明窗頂爲蓮花和飛天；上方爲坐佛和手提瓔珞的飛天。

七佛

北魏

位于山西大同市雲岡石窟第13窟南壁第3層。

七佛指釋迦佛及其出世前的六佛，即毗婆尸佛、尸弃佛、毗舍浮佛、拘留孫佛、拘那含牟尼佛、迦葉佛和釋迦牟尼佛。屋形龕頂兩側雕朱雀，中間雕金翅鳥；立佛舟形火焰背光，圓形蓮瓣頭光，皆褒衣博帶，衣角外張，赤足立于蓮座上。

脅侍菩薩

北魏

位于山西大同市雲岡石窟第13窟南壁明窗西壁。

菩薩戴高冠、項圈、臂釧，袒上身，繞帔帛，胸前佩蛇形飾、瓔珞；左手托寶珠，右手已殘。

脅侍菩薩

北魏

位于山西大同市雲岡石窟第13窟南壁明窗東壁。

菩薩戴高冠、項圈、蛇形飾、瓔珞，袒上身，下束裙；右手托寶珠，左手提净瓶；上方爲華蓋，下方爲山巒。

飛天

北魏

位于山西大同市雲岡石窟第24窟窟頂東側。

飛天束高髻，着對襟短衫，下束裙，帔帛上揚，手托供養物，作飛翔狀。

飛天

北魏

位于山西大同市雲岡石窟第34窟北壁上部西側。

飛天上着短衫，下束裙，帔帛飄舉，手舉一供養物，作飛翔狀，姿態優美。

飛天

北魏

位于山西大同市雲岡石窟第30窟窟頂西部。

飛天皆束高髻，着短衫，繞帔帛，或吹奏排簫、海螺和横笛等樂器，或手持供養物，圍繞中心蓮花飛舞。

倚坐佛

唐

位于山西大同市雲岡石窟第3窟後室。

此窟始鑿于北魏，但未完工。唐代補雕造像一鋪。佛像背光爲火焰紋，内雕飛天和坐佛。佛倚坐，圓形肉髻，着通肩袈裟，衣紋爲階梯式，作説法狀。

脅侍菩薩

唐

位于山西大同市雲岡石窟第3窟後室。

菩薩頭光外圈爲火焰紋，内圈爲坐佛。菩薩戴寶冠，冠中有净瓶，長髮披肩，面相豐滿，衣紋貼體。

天龍山石窟

位于山西太原市西南天龍山上。始鑿于東魏初期，北齊、隋、唐歷代均有開鑿。現存二十五窟，石雕造像五百餘身。

坐佛

東魏

位于山西太原市天龍山石窟第2窟正壁。

佛頭後補，内着僧祇支，外披褒衣博帶式袈裟。龕四周垂帷帳。

倚坐佛

東魏

位于山西太原市天龍山石窟第2窟西壁。佛頭後補，佛内着僧祇支，外披袈裟，右領襟敷搭左臂，雙足踏于蓮臺上。

坐佛

東魏

位于山西太原市天龍山石窟第3窟正壁。

佛結跏趺坐于須彌座上，頭殘，身着褒衣博帶袈裟，左手殘，右手上舉。兩側爲二脅侍菩薩。

倚坐佛

北齊

位于山西太原市天龍山石窟第3窟東壁。

佛倚坐，着褒衣博帶袈裟，右領襟敷搭左臂，衣結下垂，左手作與願印。頭已失。

坐佛

隋

位于山西太原市天龍山石窟第8窟中心柱南龕。

龕内一坐佛二弟子，佛頭殘，身着褒衣博帶袈裟，内穿僧祇支，雙手亦殘，結跏趺坐于仰覆蓮座上。

倚坐佛

唐

位于山西太原市天龍山石窟第9窟。

像高755厘米。

佛螺髮，着雙領下垂式袈裟，倚坐，雙足踏蓮臺。

十一面觀音菩薩

唐

位于山西太原市天龍山石窟第9窟。

觀音高550厘米。

主尊爲十一面觀音菩薩，頭後補戴寶冠，冠上雕十頭像，面像豐圓，頸下飾項圈，臂戴釧，袒上身，下着裙，立于蓮臺上。觀音兩側爲文殊、普賢菩薩。

普賢菩薩

唐

位于山西太原市天龍山石窟第9窟。

高290厘米。

普賢菩薩頸飾項圈，身挂瓔珞，帔巾繞肩下垂，下身着羊腸裙，赤足舒坐于象馱仰蓮座上。

三尊像

唐

位于山西太原市天龍山石窟第18窟東壁。

佛結跏趺坐于束腰蓮座上，身披袒右偏衫袈裟。兩側爲二脅侍菩薩，戴項圈，斜披絡腋。

坐佛

唐

出于山西太原市天龍山石窟第21窟北壁。

高115厘米。

佛束髻，着袒右袈裟，結跏趺坐。

現藏美國哈佛大學福格美術館。

龍山石窟

位于山西太原市西南龍山上。始鑿于唐代，蒙古太宗六年（公元1234年）全真教道士宋德芳主持進行了三年的營建，始成如今的規模。現存洞窟九個，石雕造像六十五身，是中國規模最大的道教石窟。

天尊

唐

位于山西太原市龍山石窟第5窟正壁。

天尊像高92厘米。

主尊束髮着芙蓉冠，面相長圓，趺坐于須彌座上。左右二男侍恭立于蓮臺上。

真人

蒙古汗國

位于山西太原市龍山石窟第2窟右壁。

真人高190、侍者高138厘米。

長方形壇基上一鋪五身，共有真人三身，侍者二身。除一尊頭存外，餘皆失。

真人（上圖）

蒙古汗國

位于山西太原市龍山石窟第1窟左壁。

像高110–125厘米。

真人九尊立于雲頭，頭戴芙蓉、飛雲等冠飾，内着裙、褐，外罩大氅。

鳳凰祥雲

蒙古汗國

位于山西太原市龍山石窟第6窟藻井。

雙鳳盤旋翱翔于祥雲之中。

寶岩寺石窟

位于山西平順縣東北山崖間。開鑿于明嘉靖初期至嘉靖二十七年之間（公元1522–1548年）。共有洞窟十四個，最大的爲水陸殿。水陸殿正面設壇置三佛，四壁浮雕六十九幅水陸道場畫。

水陸畫

明

位于山西平順縣寶岩寺石窟水陸殿右壁。

畫面下部五位閻君，戴梁冠，着寬袖大袍，執笏。上部爲判官一，侍從二。

水陸畫

明

位于山西平順縣寶岩寺石窟水陸殿右壁。

畫面下部一主二僕，主人頭戴冠，着寬袖大袍，雙手執如意，二僕人雙手合十于胸前。上部五位隨從。

水陸畫

明

位于山西平順縣寶岩寺石窟水陸殿右壁。

畫面右下角一老者，頭戴幞頭，身着袍，手執蓮；左下角爲婆媳孫三人相互關照；上部爲六位貞節烈婦。

水陸畫

明

位于山西平順縣寶岩寺石窟水陸殿右壁。

畫面正中爲西王母，面相豐潤，頭着冠，拱手籠袖于腹部。周圍爲五位臣子，頭戴冠，手執笏。

龍門石窟

位于河南洛陽市南郊伊水兩岸。開鑿于北魏孝文帝遷都洛陽（公元494年）前後，東魏、北齊、隋、唐、北宋歷代均有續建或重修。現存窟龕二千三百多個，石雕造像近十一萬身。

坐佛

北魏

位于河南洛陽市龍門石窟古陽洞正壁。

佛像高485厘米。

佛圓形頭光，舟形火焰背光。坐佛着褒衣博帶袈裟，肩披和胸側衣紋呈垂直平行狀，結跏趺坐，手作禪定印。

菩薩

北魏

位于河南洛陽市龍門石窟古陽洞正壁右側。

菩薩戴花冠，頸飾尖形項圈，身挂瓔珞，帔帛繞肩，交于腹前環形飾上，右手提桃形物，赤足立于覆蓮圓座上。

菩薩

北魏

位于河南洛陽市龍門石窟古陽洞正壁左側。

菩薩戴花冠，頸飾尖形項圈，肩上有餅形飾，身挂長瓔珞，帔帛繞肩交于腹前環形飾上，左手提净瓶，赤足立于蓮臺上。

龕楣雕飾

北魏

位于河南洛陽市龍門石窟古陽洞南壁惠珍造像龕龕楣。

龕楣梁雕二龍首和龍鱗片，上爲坐佛，佛舟形背光；尖形拱尖下方有一力士雙手托一博山爐，兩側爲身繞披巾的飛天。

北海王元詳造像龕

北魏

位于河南洛陽市龍門石窟古陽洞北壁上部外側。龕楣爲天人拾提瓔珞。龕内爲交脚菩薩，寶繒平張，帔帛交于腹前，坐于獅子座上，頭部已失。兩側爲二脅侍菩薩。

比丘慧成造像龕

北魏

位于河南洛陽市龍門石窟古陽洞北壁上層第4龕。

龕楣内雕天人拾瓔珞，楣尾爲二龍反顧，龕柱位置爲二力士，力士鬈髮，四臂。龕内佛結跏趺坐，手作禪定印，着偏衫，頭已失。舟形火焰背光，外爲飛天，圓形頭光，内爲蓮瓣與飛天。兩側爲脅侍菩薩。

供養比丘

北魏

位于河南洛陽市龍門石窟古陽洞北壁中層第4龕内。

比丘身着雙領下垂袈裟，雙手合十，側面而視。

飛天 供養人

北魏

位于河南洛陽市龍門石窟古陽洞北壁中層第2龕内。

飛天着窄袖短衫，下束裙，帔帛翻飛，手作散花狀。下方爲女性供養人，束高髻，身繞帔帛交于腹前，雙手合十。

龕楣雕飾（上圖）

北魏

位于河南洛陽市龍門石窟古陽洞北壁下層第1龕。

盝形龕楣方格内爲飛天，帔帛飛揚，周圍烘托忍冬、流雲等紋飾。

龕楣雕飾

北魏

位于河南洛陽市龍門石窟古陽洞北壁下層。

龕楣兩側爲飛天，楣内爲坐佛和供養菩薩，外緣飾忍冬紋。龕楣下方帷帳上雕一盝形頂，上雕獸頭銜瓔珞和天人，兩側爲維摩詰和文殊菩薩。

金剛力士

北魏

位于河南洛陽市龍門石窟賓陽中洞窟口外北側。

力士戴冠，袒上身，繞帔帛，下着戰裙，左手握金剛杵，右手張掌。

阿難

北魏

位于河南洛陽市龍門石窟賓陽中洞正壁。

阿難身披袈裟，雙手于胸前執物。

坐佛

北魏

位于河南洛陽市龍門石窟賓陽中洞正壁。

佛像高645厘米。

佛圓形頭光，内圈爲蓮瓣紋，外圈忍冬紋；身光外圈爲火焰紋，内圈爲供養天。佛肉髻髮紋爲波狀，内着僧祇支，外着褒衣博帶袈裟，右領襟敷搭左臂，結跏趺坐于獅子須彌座上，下衣擺垂覆座上。兩側爲二脅侍菩薩和二弟子。

迦葉

北魏

位于河南洛陽市龍門石窟賓陽中洞正壁左側。

迦葉爲比丘裝束，着雙領下垂袈裟，雙手合十。

坐佛局部

立佛 菩薩

北魏

位于河南洛陽市龍門石窟賓陽中洞南壁。

佛圓形頭光内圈爲蓮瓣，外圈爲忍冬紋，身光爲舟形火焰紋。立佛着褒衣博帶袈裟，肉髻髮紋爲波狀，額上有白毫。左右爲脅侍菩薩，戴項圈，繞帔帛，肩上有餅形飾，手提净瓶或桃形物。

立佛

北魏

位于河南洛陽市龍門石窟賓陽中洞北壁。

立佛圓形頭光，内圈爲蓮瓣，外圈爲忍冬紋；身着褒衣博帶袈裟，内着僧祇支。此圖爲局部。

飛天（上圖）

北魏

位于河南洛陽市龍門石窟賓陽中洞窟頂。

飛天身繞帔帛翻飛，一吹横笛，一捧供養物。

飛天

北魏

位于河南洛陽市龍門石窟賓陽中洞窟頂。

飛天束高髻，身上帔帛迎風飛揚，手持箏、碰鈴等樂器，身邊流雲烘托。

皇帝禮佛圖

北魏
出于河南洛陽市龍門石窟賓陽中洞前壁。
高208.3、寬293.7厘米。
帝王形象者推測爲北魏孝文帝，戴冠冕，褒衣博帶，旁爲侍從，執傘蓋、羽葆。
現藏美國紐約大都會博物館。

帝后禮佛圖

北魏
出于河南洛陽市龍門石窟賓陽中洞前壁。
高202、寬278厘米。
帝后戴鳳冠，着羽口寬袖襦，下穿高頭履；旁爲侍女，手執蓮花等供養物。
現藏美國堪薩斯納爾遜－艾金斯美術館。

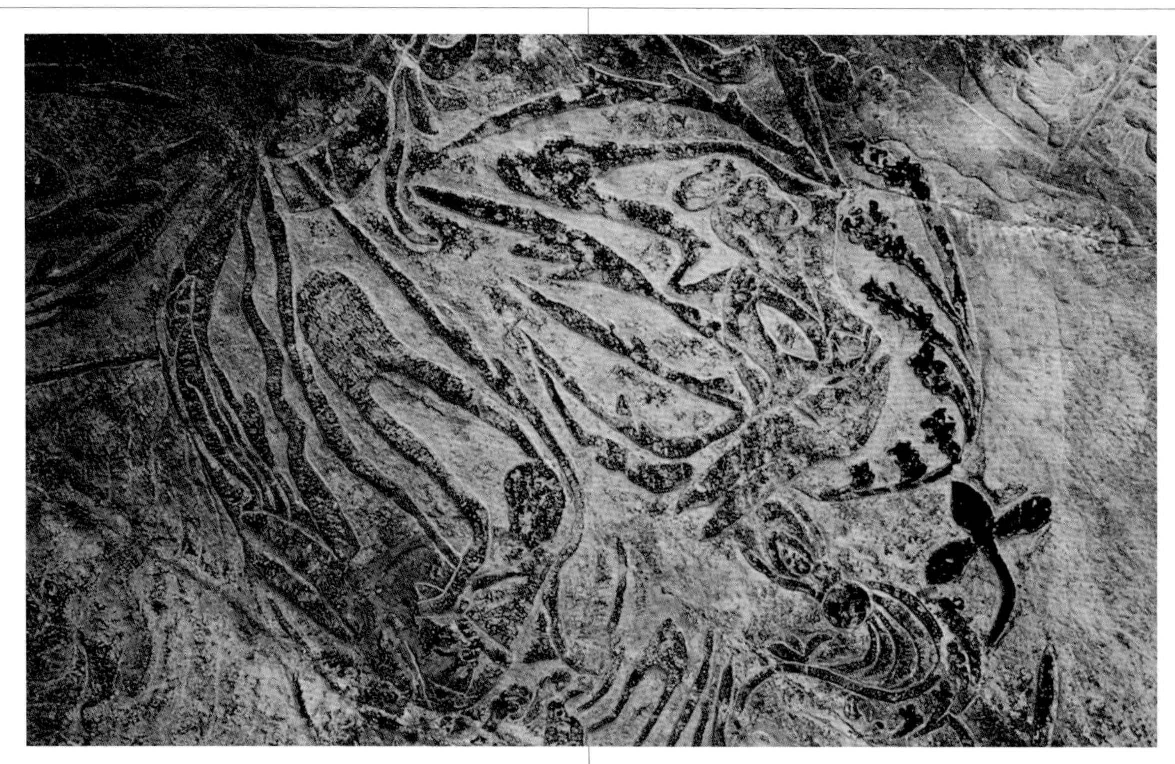

飛天（上圖）

北魏

位于河南洛陽市龍門石窟慈香洞窟頂。

飛天上着短衫，下束裙，帔帛飛揚，手持供養物，周圍爲忍冬、蓮花等花紋。

維摩詰

北魏

位于河南洛陽市龍門石窟慈香洞正壁左側上部。

維摩詰居士褒衣博帶，手執麈尾，坐于胡床上；四周爲聽法比丘，雙手合十，跪于地上。

立佛

北魏

位于河南洛陽市龍門石窟蓮花洞正壁。

佛舟形火焰背光，頭光内圈爲蓮瓣。立佛内着僧祇支，外披褒衣博帶袈裟，右領襟敷搭左臂。窟頂爲一大蓮花，刻出蓮蕾和花瓣。

菩薩

北魏

位于河南洛陽市龍門石窟蓮花洞正壁右側。

菩薩頭光爲圓形，内圈爲蓮瓣、忍冬紋，外圈爲火焰紋。菩薩挂瓔珞，繞帔帛交于腹前環形飾上，赤足立于蓮座上。

蓮花

北魏

位于河南洛陽市龍門石窟蓮花洞窟頂。

蓮花中心爲蓮房，四周爲蓮瓣，外繞一圈忍冬紋，周圍爲飛天。

飛天

北魏

位于河南洛陽市龍門石窟蓮花洞窟頂。

飛天戴筒冠、尖項圈，肩上有餅形飾，身繞帔帛，雙手托盤，上置食物。

飛天（上圖）

北魏

位于河南洛陽市龍門石窟蓮花洞南壁中央下部佛龕龕楣。

飛天束雙髻，戴項圈，肩上有餅形飾，飄巾上揚，周圍飾流雲。

供養人

北魏

位于河南洛陽市龍門石窟蓮花洞南壁中央下部佛龕龕基。

供養人皆頭戴籠冠，身着寬袖長袍，左側有一前導比丘，手持香爐。

菩薩

北魏

位于河南洛陽市龍門石窟普泰洞正壁左側。

菩薩戴花冠，寶繒下垂，肩上有餅形飾，身繞帔帛交于腹前環形飾上，右手持蓮蕾，左手提一桃形飾，赤足立于蓮臺上。

飛天

北魏

位于河南洛陽市龍門石窟蓮花洞南壁外側下部。

飛天束高髻，飄巾上揚，舉雙手作飛翔狀，周圍烘托流雲、花卉。

頭光雕飾（上圖）

北魏

位于河南洛陽市龍門石窟彌勒龕正壁交脚菩薩像背光。

頭光爲圓形，從内至外紋飾爲：禪定坐佛、飛天、波狀忍冬葡萄紋間雜飛天；舟形背光外圈爲火焰紋。

伎樂天

北魏

位于河南洛陽市龍門石窟彌勒龕龕頂。

忍冬紋間有二伎樂天，袒上身，下着短裙，繞帔帛，吹奏横笛和排簫。

坐佛

北魏

位于河南洛陽市龍門石窟魏字洞正壁。

坐佛身體瘦削，内着僧祇支，外披褒衣博帶袈裟。

菩薩

北魏

位于河南洛陽市龍門石窟魏字洞正壁右側。

圖中菩薩肩上有餅形飾，身繞帔帛交于腹前環形飾上，赤足立于蓮臺上。

坐佛

北魏

位于河南洛陽市龍門石窟天統洞正壁。

高143厘米。

佛圓形頭光，外圈飾忍冬紋。坐佛面相清瘦，内着僧祇支，外披褒衣博帶袈裟，右領襟敷搭左臂，結跏趺坐。

菩薩

北魏

位于河南洛陽市龍門石窟天統洞正壁左側。

菩薩長髮披肩，頭已殘失。肩上有餅形飾，戴尖形項圈，挂瓔珞，帔帛交于腹前環形飾上，赤足立于蓮臺上。

供養人

北魏

位于河南洛陽市龍門石窟來思九洞北壁。

左側供養人戴籠冠，身着折領長袍，右手執一長莖蓮花；右側一人籠冠上插一平板狀物，身披斗篷，衣結下垂。

獅子

北魏

位于河南洛陽市龍門石窟六獅洞正壁佛座左側。

獅子蹲踞，前爪揚起。

獅子

北魏

位于河南洛陽市龍門石窟六獅洞北壁佛座右側。

獅子蹲踞，回首張望，舌頭犬牙外露，尾巴上揚。

獅子

北魏

位于河南洛陽市龍門石窟六獅洞南壁佛座左側。

獅子蹲踞，鬃毛飄揚，前爪揚起，獅尾分三叉，上揚。

獅子

北魏

位于河南洛陽市龍門石窟六獅洞北壁佛座左側。

獅子蹲踞，回首左顧，鬃毛下垂，舌頭、犬牙外露，尾上揚。

弟子

北魏

位于河南洛陽市龍門石窟皇甫公窟西北隅上部。

弟子皆内着僧衹支，外披通肩雙領下垂袈裟，或雙手合十，或手持長莖蓮花。

禮佛圖

北魏

位于河南洛陽市龍門石窟皇甫公窟南壁菩薩像龕基部。

供養人頭戴籠冠，穿寬袖長袍，手執長莖蓮花，身後有僕從手執傘蓋。此圖爲局部。

禮佛圖

北魏

位于河南洛陽市龍門石窟皇甫公窟北壁釋迦多寶像龕基部。男供養人戴籠冠，穿寬袖長袍，手執蓮花，身後有隨從執傘蓋、團扇；女供養人束髻，雙手托供養物，着對領寬袖長袍，脚穿高頭履，身後有二隨從侍女。此圖爲局部。

供養菩薩

北魏

位于河南洛陽市龍門石窟皇甫公窟北壁釋迦多寶像龕右側。

菩薩頭部已毁失，有舟形頭光，身繞帔帛，下着裙襦，雙手合掌執一長莖蓮花；身後有一尊，内插蓮花。

金剛力士

北魏

位于河南洛陽市龍門石窟火燒洞。

力士竪眉瞪目，上袒，下着裙，身披飄帶。

供養人

東魏

位于河南洛陽市龍門石窟路洞窟口通道南側。

供養人束螺髻，着方領寬袖長袍，雙手執一幡，身材略顯清瘦。

金剛力士

北魏

位于河南洛陽市龍門石窟trace龍驤將軍洞。

力士左手展掌置腰間，右手舉胸前。上袒，下着長裙，肩披飄帶。

坐佛

北齊

位于河南洛陽市龍門石窟藥方洞正壁。

坐佛頭光内圈爲蓮瓣，外圈爲忍冬、蓮花化佛。佛體態碩健，内着僧祇支，外披雙領下垂袈裟。兩側二弟子雙手合十站于蓮臺上，兩側菩薩戴項圈，挂瓔珞，身軀粗壯。

坐佛

唐

位于河南洛陽市龍門石窟潛溪寺正壁。

像高780厘米。

坐佛爲阿彌陀佛，面相豐滿，高肉髻，頸刻三道紋，內着僧祇支，外披雙領下垂式袈裟，右手作施無畏印。圓形頭光，分三層，飾蓮花和七佛。

阿難 菩薩 天王

唐

位于河南洛陽市龍門石窟潛溪寺南壁。

阿難像高664、菩薩像高775、天王像高550厘米。

比丘形象者爲阿難，身披袈裟，雙手持寶珠。菩薩戴寶冠、項圈，身挂瓔珞交于胸前璧上，左手持一珠，右手提一桃形物。天王束冠，着甲，脚踏一夜叉。

坐佛

唐

位于河南洛陽市龍門石窟賓陽北洞正壁。

主尊爲阿彌陀佛，面部方圓，左手展掌，手心向前，下垂，右手向前，伸二指，結跏趺坐于方形叠澀須彌座上。兩側爲迦葉、阿難二弟子和觀世音、大勢至二脅侍菩薩。

菩薩 阿難

唐

位于河南洛陽市龍門石窟賓陽北洞正壁。

菩薩像高690厘米。

大勢至菩薩戴蓮花寶冠，着僧祇支，身披瓔珞交于腹前鋪首，下束裙，左手持一物，右手提一桃形物。阿難身披袈裟，雙手持一葫蘆。

坐佛

唐

位于河南洛陽市龍門石窟賓陽南洞正壁。

主尊爲阿彌陀佛，圓形頭光，内飾蓮花忍冬紋。佛波狀髻髮，有白毫，内着僧祇支，外披雙領下垂式袈裟，右手作施無畏印，結跏趺坐于須彌獅子座上。兩側爲迦葉、阿難二弟子和觀世音、大勢至二脅侍菩薩。

坐佛局部

立佛

唐

位于河南洛陽市龍門石窟賓陽南洞北壁。

立佛高肉髻，着通肩袈裟，立于覆盆形低圓蓮座上。

菩薩

唐

位于河南洛陽市龍門石窟賓陽南洞正壁。

菩薩頭飾蓮花高寶冠，面相方圓，左手提一圓形物，右手舉于胸前。

倚坐佛

唐

位于河南洛陽市龍門石窟敬西洞正壁。

主尊佛倚坐，内着僧祇支，外披雙領下垂式袈裟。兩側二脅侍菩薩手提净瓶，赤足立于蓮臺上；二弟子一雙手合十，一手執香爐。頭皆遭嚴重破壞。

菩薩群像

唐

位于河南洛陽市龍門石窟敬西洞南壁。
菩薩姿態各异，或游戲坐，或結跏趺坐，共二十五尊。

力士

唐

位于河南洛陽市龍門石窟敬善寺窟口北側。

力士戴寶冠，冠繒飄揚，袒上身，戴項圈，挂長瓔珞，下着戰裙。

力士

唐

位于河南洛陽市龍門石窟敬善寺窟口南側。

力士戴冠，袒上身，戴項圈，身繞瓔珞交于腹前圓璧上，下着戰裙。

坐佛

唐

位于河南洛陽市龍門石窟敬善寺正壁。

佛像高255厘米。

佛舟形背光，結跏趺坐于束腰八角蓮花座上。佛内着僧祇支，外披雙領下垂式袈裟，衣裙下擺垂覆座上，兩側爲二菩薩二弟子。

迦葉 菩薩 天王

唐

位于河南洛陽市龍門石窟敬善寺北壁。

比丘裝束者爲迦葉，身着袈裟，雙手合十。菩薩戴花冠、項圈，身繞瓔珞交于腹前環形飾上，左手提净瓶。天王戴冠，身着戰甲，下穿戰裙，手持劍，足踏雙夜叉。

天王

唐

位于河南洛陽市龍門石窟敬善寺北壁。

天王頭戴冠，上身着鎧甲，有護肩和護胸，下着戰裙，手持長劍，足踏雙夜叉。

阿難

唐

位于河南洛陽市龍門石窟敬善寺南壁。

阿難圓形素面頭光，身披袈裟，雙手捧寶珠。

托鉢佛

唐

位于河南洛陽市龍門石窟托鉢佛龕。

立佛圓形頭光内有七坐佛，螺髻，着通肩袈裟，衣紋綫居中下垂，右手托一鉢。

優填王

唐

位于河南洛陽市龍門石窟優填王像龕正壁。

優填王倚坐于長方形臺上，雙足踏于蓮花上，着袒右袈裟，基本上無衣褶紋樣。此像具印度笈多時期秣菟羅風格。

倚坐佛

唐

位于河南洛陽市龍門石窟雙窑南洞正壁。

佛頭已失，有圓形頭光，内飾蓮瓣紋。佛着雙領下垂式袈裟，倚坐于高臺之上。佛右側爲阿難，雙手持一葫蘆，左側爲迦葉，雙手合十。

坐佛

唐

位于河南洛陽市龍門石窟萬佛洞正壁。

佛像高565厘米。

佛圓形頭光内圈爲蓮瓣，外圈爲七坐佛，舟形背光内飾火焰、忍冬紋。佛肉髻髮紋呈波狀，額上有白亳，内着僧祇支，外着雙領下垂式袈裟，手作施無畏印，結跏趺坐于束腰八角蓮座上。

力士

唐

位于河南洛陽市龍門石窟萬佛洞正壁佛座。

兩力士皆束髻，袒上身，繞披巾，戴項圈，下束短裙。左側力士左手上托作負重狀，右側力士右手上托作負重狀。

伎樂天

唐

位于河南洛陽市龍門石窟萬佛洞南壁壁脚。

伎樂天束高髻，斜披絡腋，身繞披巾飛揚，半跏坐于蓮座上，雙手彈箏。

伎樂天

唐

位于河南洛陽市龍門石窟萬佛洞北壁壁脚。

伎樂天束高髻，袒上身，戴項圈，繞披巾，下束裙，身體扭曲，舞姿優美。

藻井雕飾

唐

位于河南洛陽市龍門石窟萬佛洞窟頂。

藻井中心爲一蓮花，雕出蓮房和蓮瓣，外圈有唐永隆元年（公元680年）題記。四周爲飛天。

倚坐佛

唐

位于河南洛陽市龍門石窟惠簡洞正壁。

倚坐佛爲彌勒佛，圓形頭光，高肉髻，波狀髮紋，額方頤豐，内着僧衹支，外披袈裟，雙脚踏于方形臺上，臺四周開小龕。

阿難 菩薩

唐

位于河南洛陽市龍門石窟惠簡洞正壁。

阿難身披袈裟，雙手握一葫蘆；菩薩頸刻蠶節紋，戴項圈，身披瓔珞交于腹前圓形飾上。

五尊像

唐

位于河南洛陽市龍門石窟奉先寺。

造像爲一鋪五尊像，坐佛爲盧舍那佛，高肉髻，波狀髮，圓形頭光，火焰背光外圈爲伎樂天，内圈爲火焰紋飾。佛兩側爲二弟子和二菩薩。

盧舍那佛

唐

位于河南洛陽市龍門石窟奉先寺正壁。
高1714厘米。

盧舍那佛局部

飛天

唐

位于河南洛陽市龍門石窟奉先寺正壁坐佛背光左側。
飛天頭束髻，身繞帔帛，飛翔于流雲間。

飛天

唐

位于河南洛陽市龍門石窟奉先寺正壁坐佛背光左側。
飛天身繞帔帛，袒上身，下束裙，吹奏横笛等樂器。

阿難 右脅侍菩薩

唐

位于河南洛陽市龍門石窟奉先寺正壁。

阿難像高1065厘米，菩薩像高1325厘米。

阿難穿雙領下垂式袈裟，右領襟敷搭左肘，圓形頭光，立于束腰圓座上。右脅侍菩薩頭戴花冠，寶繒下垂，頸有三道紋，戴項圈，身披瓔珞，繞帔帛，立于束腰蓮臺上。

阿難像局部

右脅侍菩薩局部

迦葉 左脅侍菩薩

唐

位于河南洛陽市龍門石窟奉先寺正壁。

迦葉像高1030厘米，菩薩像高1325厘米。

迦葉頭殘，圓形頭光，立于束腰仰覆蓮座上。左脅侍菩薩頭飾蓮花寶冠，寶繒下垂至肩部，斜披絡腋，身飾瓔珞寶珠，繞帔帛，立于束腰仰覆蓮座上。

左脅侍菩薩局部

天王 力士

唐

位于河南洛陽市龍門石窟奉先寺北壁。

天王像高1050厘米，力士像高975厘米。

天王束髻，頸戴護頸，胸前有二護胸鏡，腹部有一鋪首，右手托塔，左手叉腰，足踏一夜叉。力士頭束髻，身披瓔珞交于腹前環形飾上，袒上身，繞帔帛，下着戰裙。

河南龍門石窟（公元四九四年至公元九〇七年）

伎樂天

唐

位于河南洛陽市龍門石窟古上洞正壁佛背光左側。

伎樂天束雙髻，袒上身，披巾環繞上揚，手持排簫，下襯以流雲。

伎樂天

唐

位于河南洛陽市龍門石窟古上洞正壁佛背光右側。

伎樂天束雙髻，袒上身，披巾環繞上揚，手執一扇，下方襯以流雲。

飛天（上圖）

唐

位于河南洛陽市龍門石窟古上洞。

飛天束髻，袒上身，下束裙，披巾隨風飄揚。

飛天

唐

位于河南洛陽市龍門石窟古上洞。

飛天束髻，戴項圈，袒上身，身繞披巾，迎風飄揚。

飛天（上圖）

唐

位于河南洛陽市龍門石窟古上洞窟頂。

飛天束髻，戴項圈，袒上身，披巾隨風飄揚，手托盤，作飛翔狀。

飛天

唐

位于河南洛陽市龍門石窟古上洞窟頂。

飛天束雙髻，袒上身，下束裙，腰外露，身繞披巾，迎風飄揚。

伎樂（上圖）

唐

位于河南洛陽市龍門石窟八作司洞北壁壇座。

伎樂位于壺門之内，盤坐，雙手執笛而吹。旁有“東京八作司石匠一十人”題刻。

伎樂

唐

位于河南洛陽市龍門石窟八作司洞南壁壇座。

伎樂位于壺門之内，盤坐，膝上置一筝，作彈奏狀。

伎樂（上圖）

唐

位于河南洛陽市龍門石窟八作司洞正壁壇座。

伎樂束髻，上着窄袖衫，下着褲，作樂舞狀。

獅子

唐

位于河南洛陽市龍門石窟龍華寺洞前室西壁。

獅子蹲坐，鬃毛外張，雙耳平竪，昂頭翹尾。

力士

唐

位于河南洛陽市龍門石窟極南洞窟口東側。

力士袒上身，下束戰裙，肌肉强健有力。

菩薩

唐

位于河南洛陽市龍門石窟二蓮花洞南洞南壁。

菩薩戴冠、項圈，身挂瓔珞交于腹前環形飾上，身繞帔帛，下束裙，左手提一净瓶。

飛天（上圖）

唐

位于河南洛陽市龍門石窟四雁洞窟頂。

窟頂中心爲蓮花，四周繞大雁，下方爲飛天，手托盤，作飛翔狀。

飛天

唐

位于河南洛陽市龍門石窟四雁洞窟頂。

飛天戴項圈，下束裙，右手托盤，左手執一長莖蓮花，作飛翔狀。

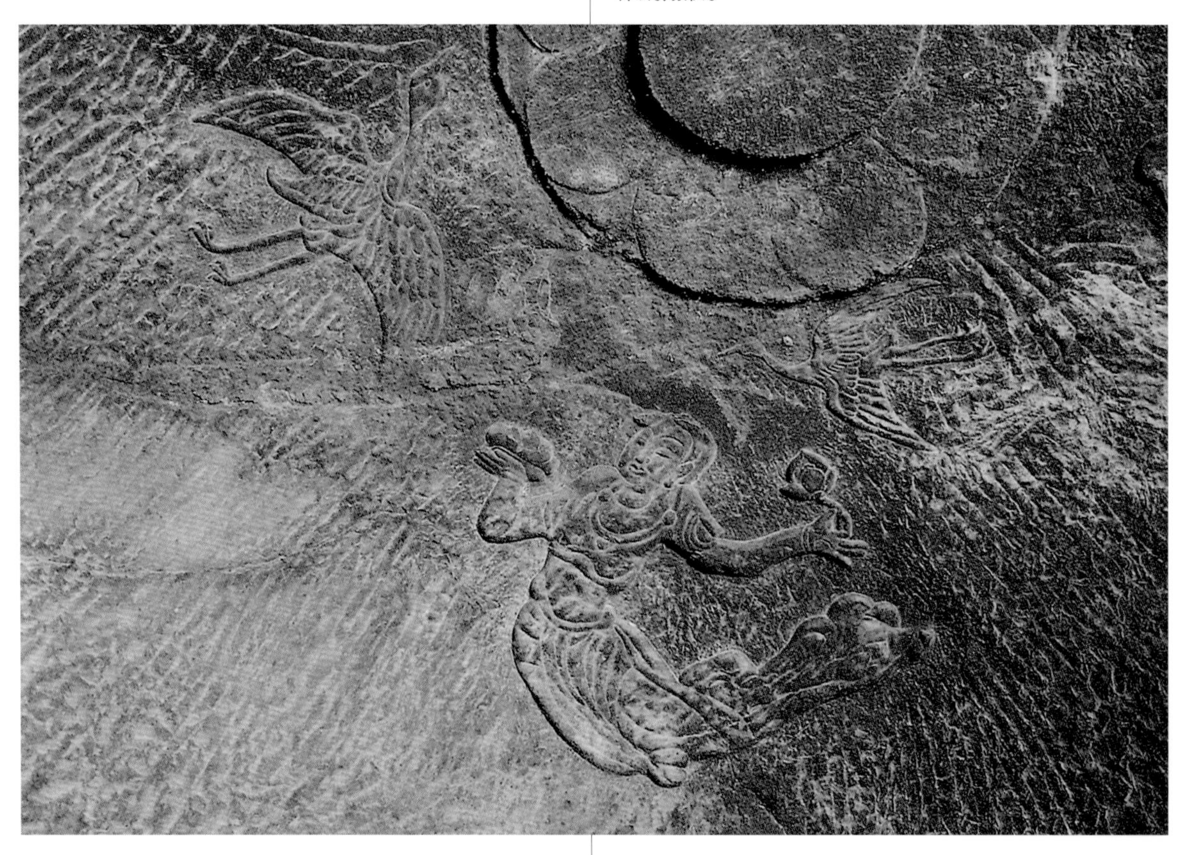

羅漢

唐

位于河南洛陽市龍門石窟看經寺。

看經寺正壁、南壁和北壁共雕羅漢二十九身，表現從摩訶迦葉至菩提達摩西土二十九祖形象。羅漢皆内着僧祇支，外披雙領下垂式袈裟，下穿雲頭履，姿態、手勢和神情各异。

看經寺羅漢之一

看經寺羅漢之二

看經寺羅漢之三

大日如來

唐

位于河南洛陽市龍門石窟擂鼓臺南洞正壁。

像高215厘米。

佛螺髻，戴寶冠，頸刻三道紋，袒右，戴項圈，結跏趺坐于束腰叠澀須彌座上。

大日如來局部

迦葉

唐

位于河南洛陽市龍門石窟萬佛溝北崖高平郡王洞正壁左側。

迦葉面容衰老，外披袈裟，雙手托物置于胸前。

觀世音菩薩

唐

位于河南洛陽市龍門石窟萬佛溝北崖救苦觀世音像龕。

菩薩圓形頭光，外飾火焰紋，束高髮髻，髮辮垂肩，身挂瓔珞交于腹前環形飾上，身繞帔帛，左手提净瓶。

力士

唐

出于河南洛陽市龍門石窟。

力士束髻，竪眉圓目，袒上身，肌肉發達，下着戰裙。

現藏河南洛陽市龍門石窟擂鼓臺。

佛像頭部

唐

出于河南洛陽市龍門石窟。

高45厘米。

佛高肉髻，波狀髮，眉細長，閉目。

現藏日本大阪市立美術館。

鞏縣石窟

位于河南鞏義市東北大力山下伊洛河北岸。始鑿于北魏孝文帝遷都洛陽後，東魏、西魏、北齊、唐、北宋歷代均有續鑿。現存洞窟五個，石雕造像七千七百餘身。

立佛

北魏

位于河南鞏義市鞏縣石窟第1窟外壁東側。

像高530厘米。

立佛圓形肉髻，内着僧祇支，外披袈裟，衣紋爲階梯式，旁爲脅侍菩薩。

佛龕

北魏

位于河南鞏義市鞏縣石窟第1窟中心柱南面。

龕内雕像一佛二弟子二菩薩。主尊結跏趺坐于束腰須彌座上。

菩薩

北魏

位于河南鞏義市鞏縣石窟第1窟中心柱南面。

菩薩像高140厘米。菩薩有桃形頭光，戴蓮花寶冠，身繞帔帛，下束裙，赤足立于低圓臺上。

禮佛圖

北魏

位于河南鞏義市鞏縣石窟第1窟南壁東側。

表現皇帝禮佛場面。禮佛圖分三層，以上層右起爲首，前有比丘作導引，後跟隨供養人。

禮佛圖

北魏

位于河南鞏義市鞏縣石窟第1窟南壁西側上、中層。

表現皇後禮佛場面。男供養人戴冠，穿寬袖長袍，下着高頭履；前方有一前導比丘，身後爲侍從，執華蓋、羽葆。女供養人束高髻，襦裙曳地，前方有一前導比丘尼，旁爲侍女。

龕楣雕飾

北魏

位于河南鞏義市鞏縣石窟第1窟西壁第2龕。

圓拱尖形龕楣内雕七坐佛，中間一尊結跏趺坐于方臺上，右手作施無畏印；其餘佛坐于蓮座上，手作禪定印。上方爲千佛。

飛天

北魏

位于河南鞏義市鞏縣石窟第1窟西壁第2龕上部南側。飛天束髻，披巾隨風飄揚，手托盤，作散花狀。

飛天

北魏

位于河南鞏義市鞏縣石窟第1窟西壁第2龕上部北側。飛天袒上身，下束裙，作飛翔散花狀，身邊飾流雲。

維摩詰

北魏

位于河南鞏義市鞏縣石窟第1窟東壁第1龕。維摩詰身着寬博大衣，踞坐于蓮座上。

坐佛

北魏

位于河南鞏義市鞏縣石窟第1窟中心柱西龕。

佛肉髻光滑，内着僧祇支，外披襃衣博帶袈裟，下衣擺垂覆獅子座上，左手作與願印。兩側爲菩薩和弟子。

坐佛

北魏

位于河南鞏義市鞏縣石窟第2窟東壁。

佛有舟形背光，高肉髻，面相方圓，着褒衣博帶袈裟，結跏趺坐于寶壇上。兩側爲立侍菩薩。

异獸

北魏

位于河南鞏義市鞏縣石窟第3窟北壁壁脚第4、5軀。

左側之獸倒立，張牙舞爪；右側之獸竪髮，蹲立，雙手拉弓射箭。

禮佛圖（上圖）

北魏

位于河南鞏義市鞏縣石窟第3窟南壁西側中層。

左側有一前導比丘尼；女供養人手執蓮花，後方侍女束雙髻，手執華蓋、圓扇。

伎樂

北魏

位于河南鞏義市鞏縣石窟第3窟南壁壁脚西側第3、4軀。

二伎樂坐于地上，身繞帔帛，一擊羯鼓，一擊腰鼓。

千佛

北魏

位于河南鞏義市鞏縣石窟第3窟西壁。

千佛着雙領下垂袈裟或通肩袈裟，皆手作禪定印。

佛龕

北魏

位于河南鞏義市鞏縣石窟第3窟中心柱正面。

龕楣正中刻三角形垂幛繫寶珠，兩側爲二飛天相對。龕内爲一佛二弟子二菩薩，主尊結跏趺坐于束腰須彌座上，手結説法印。佛座兩邊雕獅子，中心柱基座刻力士和神王。

飛天

北魏

位于河南鞏義市鞏縣石窟第3窟中心柱南龕上方西側。飛天衣裙、披巾迎風飄舉，周圍飾以流雲、忍冬、蓮花等紋飾。

飛天

北魏

位于河南鞏義市鞏縣石窟第3窟中心柱南龕上方東側。飛天戴項圈，下束長裙，帔帛繞身，左手持一長莖蓮花，作飛翔狀。

神王

北魏

位于河南鞏義市鞏縣石窟第3窟中心柱西面基座第5軀。

神王束髻，雙面，身繞帔帛，蹲坐，懷中抱一嬰童。

禮佛圖

北魏

位于河南鞏義市鞏縣石窟第4窟南壁西側下層。

左側爲一前導比丘尼，手執香爐；皇帝等女供養人或手執長莖蓮花，或手托盤；後面侍女或拾其裙擺，或執華蓋、圓扇。此圖爲局部。

窟頂雕飾

北魏

位于河南鞏義市鞏縣石窟第4窟窟頂西北角。

窟頂爲平棋式，方格内爲蓮花、變形忍冬紋、手執蓮梗的飛天和蓮花化生。六角上各雕一朵蓮花。

神王（上圖）

北魏

位于河南鞏義市鞏縣石窟第4窟中心柱西壁基座。

左側神王爲雙面神王，頭梳單髻，有圓形頭光，戴項圈，身繞帔帛，手抱一小孩，正面蹲坐；右側爲河神王，側面蹲坐，雙臂托一大魚。

神王

北魏

位于河南鞏義市鞏縣石窟第4窟中心柱東壁基座。

左側神王爲風神王，手持風袋；右側爲火神王，雙手執火。

神王

北魏

位于河南鞏義市鞏縣石窟第4窟中心柱南壁基座。

神王束髻，身繞一龍，似爲龍神王。

神王

北魏

位于河南鞏義市鞏縣石窟第4窟中心柱南壁基座。

神王身繞一龍，似爲龍神王。

力士（上圖）

北魏

位于河南鞏義市鞏縣石窟第4窟中心柱南壁基座。

力士頭頂大石，雙手托舉。

神王

北魏

位于河南鞏義市鞏縣石窟第4窟中心柱北壁基座。

左側神王爲河神王，肩扛一大魚；右側神王束高髮髻，帔巾繞身。

禮佛圖

北魏

位于河南鞏義市鞏縣石窟第4窟南壁東側。

三組禮佛圖結構相同，前有比丘菩提樹引導，後有主人侍從各三組。

蓮花 飛天

北魏

位于河南鞏義市鞏縣石窟第5窟頂部。

窟頂部中心雕一大朵蓮花，花分三層，中心爲圓蕊，外有寶裝蓮瓣兩重；蓮花外環繞飛天，飛天頭束髻，帔巾繞肩飄揚，作飛翔狀。

佛像頭部

北魏

佛像高肉髻，面相豐圓，長耳及頸，雙目微閉，嘴角上抿。

現藏河南鞏義市鞏縣石窟寺陳列室。

水泉石窟

位于河南偃師市寇店鄉水泉村。開鑿于北魏。現存洞窟一個，像龕四百九十九個，石雕造像七百二十八身。

立佛

北魏

位于河南偃師市水泉石窟東壁。

立佛面相清秀，眉間有白毫，外着褒衣博帶袈裟，赤足立于蓮臺上。

坐佛

北魏

位于河南偃師市水泉石窟南壁。

龕内雕一佛二菩薩。主尊結跏趺坐于方臺上，二菩薩立于蓮臺上。龕楣上飾七個獸首銜華繩。

萬佛山石窟

位于河南洛陽市吉利區柴河村。開鑿于北魏。現存洞窟四個，摩崖大佛一龕。

立佛

北魏

位于河南洛陽市萬佛山石窟。

高370厘米。

立佛高肉髻飾波紋，面相方圓，眉間有白毫，着褒衣博帶袈裟，下束長裙，赤足踏蓮臺。

靈泉寺石窟

位于河南安陽市西南寶山東南麓，安陽縣善應鎮南坪村南。開鑿于東魏武定四年（公元546年），原名寶山寺，隋開皇年間更名靈泉寺。現存二個洞窟和二百零九個摩崖小龕。大留聖窟爲道憑法師開鑿于東魏武定四年（公元546年），又稱“道憑石堂”；大住聖窟爲靈裕法師開鑿于隋開皇九年（公元589年）。

坐佛

北齊

位于河南安陽縣靈泉寺石窟大留聖窟北壁。

佛結跏趺坐于方形須彌座上，身後背光由火焰紋、忍冬紋和蓮瓣紋等組成。

神王（上圖）

北齊

位于河南安陽縣靈泉寺石窟大留聖窟南壁壇座。

左側龕内神王手執樹枝，爲樹神王；右側龕内神王手執風袋，爲風神王。

神王

北齊

位于河南安陽縣靈泉寺石窟大留聖窟北壁壇座。

神王坐于圓拱龕内，穿圓領窄袖袍。左爲河神王，右爲山神王。

那羅延神王

隋

位于河南安陽縣靈泉寺石窟大住聖窟窟門東側。

神王頭戴雙翼冠，寶繒飄揚，袒上身，繞帔帛。下束裙，左手執劍，右手執三叉戟，赤足踏于青牛之上。

迦毗羅神王

隋

位于河南安陽縣靈泉寺石窟大住聖窟窟門西側。

神王頭戴雙翼冠，着甲衣，上飾獸頭，下束裙，左手持三叉戟，右手持劍，赤足立于卧羊上。

坐佛

隋

位于河南安陽縣靈泉寺石窟大住聖窟東壁。

佛桃形頭光，着通肩袈裟，結跏趺坐于束腰須彌座上。佛左側爲弟子，右側爲脅侍菩薩，皆赤足立于蓮臺上。

坐佛

隋

位于河南安陽縣靈泉寺石窟大住聖窟西壁龕。

佛結跏趺坐于束腰蓮座上，内着僧祇支，外披袈裟，衣紋貼體。兩側爲脅侍菩薩，戴項圈，身繞帔帛。

傳法聖師圖

隋

位于河南安陽縣靈泉寺石窟大住聖窟前壁。

雕像分六層，每層四人，兩兩相對成組，爲“世尊去世傳法聖師”二十四祖像。

小南海石窟

位于河南安陽縣西南龜蓋山南麓。開鑿于北齊天保年間（公元550-559年），是北齊名僧僧稠禪師的紀念窟。現存洞窟三個。

羅刹捨身聞偈圖

北齊

位于河南安陽縣小南海石窟中窟北壁。

畫面分三層表現“羅刹變爲帝釋謝菩薩時”等場面。

坐佛

北齊

位于河南安陽縣小南海石窟西窟正壁。

坐佛圓形頭光，外飾蓮瓣；舟形背光。佛内着僧祇支，外披雙領下垂式袈裟，衣紋綫稀疏，輕薄貼體。

立佛

北齊

位于河南安陽縣小南海石窟西窟北壁。

立佛圓形頭光，内着僧祇支，外披偏衫袈裟，衣紋綫稀疏，輕薄貼體。二菩薩身繞帔帛交于腹前環形飾上。

千佛洞石窟

位于河南浚縣浮丘山。開鑿于唐代。現存洞窟二個，像龕九百三十五個，石雕造像一千餘身。另有摩崖像龕七十六個。

坐佛

唐

位于河南浚縣千佛洞石窟第1窟北壁。

坐佛着通肩大衣，結跏趺坐于束腰須彌座上，身光内雕五十二身姿態各异的菩薩。

菩薩

唐

位于河南浚縣千佛洞石窟第1窟西壁南側。

高123厘米。

菩薩高髮髻，面相方圓，戴項圈，挂瓔珞，姿態優雅端莊。

力士

唐

位于河南浚縣千佛洞石窟第2窟右壁。

高90厘米。

力士怒目圓瞪，頭束高髻，一臂握拳高舉，一臂握巾向外伸張。

響堂山石窟

北響堂石窟位于河北邯鄲市峰峰礦區和村鎮東鼓山西麓山腰，原名鼓山石窟；南響堂石窟位于峰峰礦區新市區鼓山南麓，原名滏山石窟。響堂山石窟始鑿于東魏武定年間（公元543-550年），主要洞窟完成于北齊。隋、唐、北宋、明歷代續有修鑿。北響堂現存洞窟九個，南響堂現存洞窟七個。

坐佛

北齊

位于河北邯鄲市北響堂石窟第9窟中心柱正壁龕。

佛圓形頭光，飾忍冬紋。佛螺髻，着通肩袈裟，衣紋綫呈波狀居中下垂，結跏趺坐。

坐佛

北齊

位于河北邯鄲市北響堂石窟第9窟中心柱北壁大龕。

坐佛舒相坐式坐于圓形束腰座上，頭部殘毀。佛手作施無畏印，身着通肩袈裟。兩側菩薩跣足立于圓蓮座上。

菩薩

北齊

位于河北邯鄲市北響堂石窟第9窟中心柱南壁龕。

菩薩圓形頭光，内圈爲蓮瓣，外圈爲忍冬紋和聯珠紋；袒上身，斜挂瓔珞，下束裙，衣紋貼體。

异獸

北齊

位于河北邯鄲市北響堂石窟第9窟中心柱。

异獸有羽翼，深目高鼻，大嘴尖爪，袒胸露腹，跪于基壇上。

异獸（上圖）

北齊

位于河北邯鄲市北響堂石窟第9窟東壁。

异獸位于柱礎之下，獨角，肩上有雙翼，雙爪撫膝，跪立。

樹神王

北齊

位于河北邯鄲市北響堂石窟第9窟中心柱北壁壇座。

圓拱火焰龕内神王交脚席地而坐，身繞帔帛，穿甲衣，雙手舉雙樹于胸前。

象神王

北齊

位于河北邯鄲市北響堂石窟第9窟中心柱正壁壇座。圓拱龕内神王長鼻大耳，身着鎧甲，繞披巾，雙手捧物，脚穿馬靴。

神王

北齊

位于河北邯鄲市北響堂石窟第9窟中心柱南壁壇座。神王頭戴蓮花冠，身繞帔帛，着鎧甲，席地而坐。

火神王

北齊

位于河北邯鄲市北響堂石窟第9窟中心方柱正面基壇。神王頭戴方帽，面型長方，有鬍鬚，身着鎧甲，足蹬馬靴，交脚坐。右手持火。

塔形龕

北齊

位于河北邯鄲市北響堂石窟第9窟。

塔形龕由三部分組成，即塔基、塔身和塔刹。塔身開帷幕帳形龕，現龕内坐佛爲後人置入，塔刹部分雕火焰寶珠紋、覆鉢丘、相輪入寶蓮。

雕飾

北齊

位于河北邯鄲市北響堂石窟第9窟南壁塔形龕。

雕飾下方爲覆鉢，頂上置山花蕉葉紋，中間爲塔刹相輪，上爲三枝蓮花忍冬，上置火焰寶珠。

坐佛

北齊

位于河北邯鄲市北響堂石窟第4窟中心柱正壁龕。

龕内坐佛圓形頭光，舟形火焰背光，結跏趺坐于束腰蓮座上；佛身着通肩袈裟，衣紋呈水波狀居中下垂，密集貼體，右手作施無畏印，左手作與願印。兩側爲二菩薩和二弟子。

雕飾

北齊

位于河北邯鄲市北響堂石窟第4窟窟門甬道。

紋樣左右對稱，中間雕兩個相對的荷花。

獅子

北齊

位于河北邯鄲市北響堂石窟第4窟中心柱正壁龕内。

獅子位于佛座左側小門前，蹲坐，寬嘴小耳，戴項圈。

菩薩

北齊

位于河北邯鄲市北響堂石窟第4窟窟門甬道南壁。

菩薩頭殘，頸帶瓔珞，上體袒裸，下肢圍裙，赤足立于圓形蓮花座上。

蓮花

北齊

位于河北邯鄲市北響堂石窟第3窟藻井。藻井中心爲一蓮花，雕出蓮房和蓮瓣，周繞四顆蓮花火焰寶珠，四角飾忍冬紋。

坐佛

北齊

位于河北邯鄲市北響堂石窟第3窟正壁。龕四周雕垂帳，龕内坐佛頭殘，外披雙領下垂式袈裟，結跏趺坐于須彌座上，兩側爲二弟子和四菩薩，皆赤足立于蓮臺上。龕基雕二獅守博山爐，旁有伎樂天。

坐佛

北齊

位于河北邯鄲市北響堂石窟第3窟右壁。

龕内雕一佛二弟子四菩薩，主尊佛着雙領下垂式袈裟，結跏趺坐束腰蓮座上。

力士

北齊

位于河北邯鄲市北響堂石窟第3窟窟門左側。

力士袒上身，繞帔帛，赤足立于圓蓮座上。

門楣雕飾

北齊

位于河北邯鄲市北響堂石窟第3窟門楣及門框。

門楣爲尖形圓拱式，門框内爲波狀蓮花忍冬紋，邊飾聯珠紋。

坐佛

北齊

位于河北邯鄲市南響堂石窟第1窟中心柱正壁龕。佛圓形頭光，外圈爲波狀忍冬紋和七坐佛。佛螺髻，内着僧祇支，外披雙領下垂式袈裟，衣服輕薄，結跏趺坐于蓮座上。兩側弟子手持供養物。

阿彌陀净土變

北齊

位于河北邯鄲市南響堂石窟第1窟前壁。

阿彌陀净土變分爲三部分。中間爲阿彌陀説法和聽法四衆，兩側爲雙層樓閣式建築，下層爲七寶池。

佛龕雕像

北齊

位于河北邯鄲市南響堂石窟第1窟左前壁。

龕内雕一鋪五尊像，爲一佛二弟子二菩薩。

風神王

北齊

位于河北邯鄲市南響堂石窟第5窟北壁龕壇座。龕楣爲圓拱尖形，兩龕柱頭上置摩尼寶珠；龕内風神戴蓮花冠、項圈，手執風袋。

樹神王

北齊

位于河北邯鄲市南響堂石窟第5窟南壁龕壇座。樹神王頭戴寶冠，手握雙樹。

蓮花 飛天

北齊

位于河北邯鄲市南響堂石窟第7窟窟頂。

藻井中心雕蓮花，四周爲飛天，皆戴冠，帔帛隨風飄揚，或吹笙、笛，或彈箜篌、琵琶，或手托花盤，中以蓮花寶珠間隔飛天。

倚坐佛

北齊

位于河北邯鄲市南響堂石窟第7窟南壁龕。

龕楣爲盝頂狀，方格内爲坐佛，下垂帷幕。龕内佛倚坐，圓形頭光，雙足踏于地神口中吐出來的蓮花上，内着僧祇支，外披雙領下垂式袈裟；兩側爲二菩薩二弟子。龕基爲博山爐和神王。

地神

北齊

位于河北邯鄲市南響堂石窟第7窟南壁坐佛足部。

地神口吐蓮莖，莖上承托蓮花足踏。

水浴寺石窟

水浴寺石窟又稱小響堂，位于河北邯鄲市峰峰礦區寺後坡村村南。開鑿于北齊，現存洞窟二個。

僧俗禮佛圖

北齊

位于河北邯鄲市水浴寺石窟第1窟。

高150厘米。

僧俗禮佛圖分爲五層，第一層前端有“比丘僧琛供養佛時”題記。題記後爲比丘僧琛的刻像，光頭，身着紅色袈裟，身後有一年輕僧人，其後爲一女供養人與三個隨從，這一組畫面後部有六人，前兩人叉手直立，身後爲一女供養人，身着寬袖衣裙，身後有隨從手提裙裾。禮佛圖男像着胡服，女像着敞領寬袖裙衣。

老爺山石窟

位于河北邯鄲市峰峰礦區臨水鎮元寶山。開鑿于北宋，現存造像九十四身。

菩薩

北宋

位于河北邯鄲市老爺山石窟。

菩薩結跏趺坐于束腰臺座上，頭戴高方冠，面相長豐，雙眼較圓，右手握如意，左手垂放于體側腿上。

立佛

北宋

位于河北邯鄲市老爺山石窟。

佛像高238厘米。

佛赤足立于平座上，身體修長，面相長豐，螺髻。左手向下，右手指天。佛左右雕弟子迦葉、阿難。

菩薩

北宋

位于河北邯鄲市老爺山石窟。

菩薩赤足，身修長，頭戴冠，面長圓，雙耳下垂，左右爲供養人。

峨嵋寺八佛窪

八佛窪位于河北易縣白玉山，創建年代已不可考。石窟四壁原擺放羅漢群像，這些羅漢像1921年被發現，後被盜賣至國外，國内已無存。英國大英博物館、美國費城大學博物館、波士頓美術館、堪薩斯納爾遜－艾金斯美術館、加拿大安大略博物館和日本松岡氏各藏一尊，美國大都會博物館收藏二尊。德國柏林人類學博物館原也收藏一尊，1945年被炸毁。

三彩羅漢

遼

出于河北易縣白玉山峨嵋寺八佛窪。

高104.7厘米。

現藏美國紐約大都會博物館。

三彩羅漢

遼

出于河北易縣白玉山峨嵋寺八佛窪。

高126.4厘米。

現藏加拿大多倫多皇家安大略博物館。

三彩羅漢

遼

出于河北易縣白玉山峨嵋寺八佛窪。

全身高100.2厘米。此爲局部。

現藏美國費城大學博物館。

三彩羅漢

遼

出于河北易縣白玉山峨嵋寺八佛窪。

全身高100.2厘米。

此爲局部。

現藏美國堪薩斯納爾遜－艾金斯美術館。

黄石崖摩崖

位于山東濟南市歷城區。鑿于北魏至東魏。原有一個大窟和二十八個小龕，造像七十九身。1996年崖面崩坍，大窟已不存。

坐佛

北魏

位于山東濟南市歷城區黄石崖大窟東壁。

佛高150厘米。

佛頭光和背光完整，内着僧衹支，外披袈裟，結跏趺坐于方座。

青銅山大佛

位于山東濟南市歷城區西營鄉大佛村之北青銅山南麓。始鑿于北朝晚期。佛龕平面呈馬蹄形，龕高950厘米，龕進深510厘米。

坐佛

隋

位于山東濟南市歷城區青銅山。

高800厘米。

佛結跏趺坐，手作禪定印，下承方臺座。高肉髻，面形長方，雙頰豐滿。此圖爲局部。

蓮花洞石窟

位于山東濟南市長清區西南五峰山聚仙峰西側。鑿于隋代，唐代有續鑿。現存洞窟一個。

五尊像

隋

位于山東濟南市長清區蓮花洞石窟正壁。

龕内雕坐佛，結跏趺坐，有舟形火焰紋身光和圓形蓮花紋頭光。坐佛兩側立侍二弟子二菩薩。

坐佛

隋

位于山東濟南市長清區蓮花洞石窟正壁。

佛有舟形火焰紋背光和圓形蓮花紋頭光。佛螺髮，内着僧祇支，外披雙領下垂式袈裟，手作禪定印，結跏趺坐。

弟子 菩薩

隋

位于山東濟南市長清區蓮花洞石窟正壁。

弟子瘦骨嶙峋，身着袈裟，雙手合十，赤足立于蓮臺上；菩薩戴項圈、臂釧，着袒右偏衫，立于束腰仰覆蓮臺上。

歷城千佛崖石窟

位于山東濟南市歷城區柳埠鎮東北白虎山山腰。現存石雕造像二百餘身，造像題記四十多則，主要爲初唐時期造像。

倚坐佛

唐

位于山東濟南市歷城區千佛崖石窟劉玄意造像龕。佛倚坐，赤足踏小蓮臺，雙手似施説法印。龕口左側刻一護法獅子，右側刻一持杵力士。此像爲唐太宗之女南平長公主之夫、齊州刺史劉玄意造于唐顯慶二年（公元657年）。

駝山石窟

位于山東青州市西南駝山。開鑿于隋代，唐代初期續有鑿造。現存洞窟五個和摩崖造像一處，石雕造像六百三十八身。

坐佛

隋

位于山東青州市駝山石窟第2窟。

佛高283、菩薩高256厘米。

坐佛螺髮，面相長圓，内着僧袛支，外披雙領下垂式袈裟，右手作施無畏印，結跏趺坐。左右爲二脅侍菩薩。

菩薩

隋

位于山東青州市駝山石窟第2窟。

菩薩頭戴寶冠，身挂瓔珞，繞帔帛，左手半舉，右手下垂握帔帛。

菩薩

隋

位于山東青州市駝山石窟第2窟。

菩薩頭戴寶冠，冠上刻寶瓶，耳垂較大，嘴角上翹，頸佩項圈。

坐佛

隋

位于山東青州市駝山石窟第3窟。

佛高455厘米。

佛螺形髮髻，嘴角上翹，内穿僧祇支，外披袈裟，右手作施無畏印，結跏趺坐于壇基上，左右兩側爲脅侍菩薩。

菩薩

隋

位于山東青州市駝山石窟第3窟。

菩薩頭戴刻有化佛的高冠，頸佩箭狀項鏈，帔帛從兩肩垂下，右手握帔帛。

坐佛

唐

位于山東青州市駝山石窟第1窟正壁。

佛螺形高肉髻，面相豐滿，戴項圈、臂釧，身披袈裟，雙手結法界定印，結跏趺坐于佛座上。 左右兩側爲二弟子二菩薩。

雲門山石窟

位于山東青州市雲門山。始鑿于北齊，隋至唐中期續有開鑿。現存洞窟五個，石雕造像二百七十二身。

坐佛

隋

位于山東青州市雲門山石窟第1大龕。

佛頭及雙手殘，着雙領下垂袈裟，結跏趺坐。佛身旁爲二菩薩和二力士。

菩薩

隋

位于山東青州市雲門山石窟第2大龕。

高218厘米。

菩薩戴花冠，冠帶從胸間下垂，佩項圈，身挂瓔珞，繞帔帛，下束裙，立于蓮臺上。

菩薩裙帶

隋

位于山東青州市雲門山石窟第2大龕左脅侍菩薩裙上。

寬博的裙帶用大、小聯珠組成紋飾帶，將其分成五個長方形格。最上和最下二格雕蓮花圖案，中間三格雕裸體僧人。

倚坐佛

唐

位于山東青州市雲門山石窟第3窟正面。

佛頭殘，有圓形頭光，着袈裟，左手施降魔印，倚坐于方座壇基上。左右二側雕二僧，雙手交于胸前。

力士

唐

位于山東青州市雲門山石窟第4窟。

力士頭殘，上身袒露，左臂斜伸，右臂半舉，下穿短裙，赤足立于基座上。

力士

唐

位于山東青州市雲門山石窟第4窟。

力士肌肉勁健，身後飄帶飛動。

萬佛堂石窟

位于遼寧義縣西北大凌河北崖山腰。分東西兩區，共存洞窟十六個，石雕造像四百三十餘身。西區爲北魏營州刺史元景造于太和二十三年（公元499年），東區爲慰喻契丹使韓貞造于北魏景明三年（公元502年）。遼金時期有補刻。

交脚彌勒佛

北魏

位于遼寧義縣萬佛堂石窟西區第6窟。

佛高肉髻，面容長圓，細眉高鼻，肩部袈裟較清晰，交脚而坐。

菩薩

北魏

位于遼寧義縣萬佛堂石窟西區第6窟。

高約80厘米。

菩薩束高髮髻，面容豐圓，口露笑意，身着通肩袈裟。

飛天

遼金

位于遼寧義縣萬佛堂石窟西區第1窟東壁。

像約長150厘米。

飛天袒上身，帔帛飄揚，手托盤，作飛翔狀。

大佛寺石窟

位于陝西彬縣西部涇河南崖。始鑿于北周，興盛于唐代初期，唐貞觀二年（公元628年）開鑿大佛窟（即第20窟）。北宋、元、明歷代均有增修。現存洞窟一百零七個，像龕二百五十四個，石雕造像一千四百九十八身。

坐佛

唐

位于陝西彬縣大佛寺石窟第20窟。

高2000厘米。

佛螺髻，上飾摩尼寶珠，面相豐滿，眉間有白毫，着褒衣博帶式袈裟，右手作施無畏印。

坐佛局部

坐佛

唐

位于陕西彬縣大佛寺石窟第20窟主佛背光中。

坐佛桃形頭光，肉髻低矮，内着僧祇支，外披袈裟，結跏趺坐于蓮座上。旁爲火焰紋、蓮花和飛天。

菩薩

唐

位于陝西彬縣大佛寺石窟第20窟西壁。

高1750厘米。

菩薩舟形火焰身光，頭束髻，戴化佛寶冠，長髮披肩，戴項圈、手鐲，身繞帔帛。

立佛

唐

位于陕西彬縣大佛寺石窟第23窟中心柱東壁第27龕。

二立佛高肉髻，頸刻三道紋，外披袈裟，赤足立于蓮座上。

三尊像

唐

位于陝西彬縣大佛寺石窟第23窟西壁第71龕。

龕内一佛二菩薩均立于蓮臺上。佛高肉髻，身披袈裟；二脅侍菩薩身材呈“S”形，身繞帔帛，手提净瓶。

立佛

唐

位于陝西彬縣大佛寺石窟第23窟東壁第94龕。

立佛高肉髻，着通肩袈裟，衣角外張，赤足立于蓮臺上。

立佛

唐

位于陝西彬縣大佛寺石窟第23窟東門柱南壁第132龕。

立佛肉髻低平，面相豐滿，身軀壯實，着雙領下垂式袈裟，衣紋綫凸起。

文殊菩薩

唐

位于陝西彬縣大佛寺石窟第14窟門柱西壁第4龕。

文殊菩薩結跏趺坐于獅背蓮座上，身披右袒式大衣。獅子頭大，戴項圈，身軀碩壯，下方有一牽獅昆侖奴，袒上身，斜披絡腋。

藥王山摩崖

位于陝西銅川市耀州區孫塬鄉。始鑿于隋，唐、金、明、清歷代均有鑿修。現存窟龕二十三個，石雕造像四十五身。

菩薩

隋

位于陝西銅川市耀州區藥王山摩崖。

高318厘米。

菩薩面相方圓，細眉長目，頸刻蠶節紋，頭戴寶珠華冠，袒右肩，内着僧衹支，挂瓔珞，左手結寶珠印，倚坐。

二觀世音菩薩

唐

位于陝西銅川市耀州區藥王山摩崖。

二觀世音菩薩挺胸直立，束高髻，戴化佛寶冠，頸刻蠶節紋，上身斜披妙衣，下着羊腸裙，一手臂下垂提净瓶，一手臂上舉柳枝。

立佛

唐

位于陝西銅川市耀州區藥王山摩崖。

佛高80厘米。

佛螺髮低矮，面相圓潤，頸刻蠶節紋，着袈裟，赤足立于基壇上。兩側爲左右脅侍菩薩。

觀世音菩薩

唐

位于陝西銅川市耀州區藥王山摩崖。

高160厘米。

觀世音菩薩高髮髻，戴化佛寶冠，頸刻蠶節紋，斜披妙衣，右手下垂提净瓶。

菩薩

唐

位于陝西銅川市耀州區藥王山摩崖。

高190厘米。

菩薩高髮髻，頸刻蠶節紋，袒胸，戴項鏈，下着裙，左手執净瓶，右手舉柳枝。

觀世音菩薩

唐

位于陝西銅川市耀州區藥王山摩崖。

高190厘米。

菩薩戴高髮冠，頸刻蠶節紋，袒上身，繞帔帛，下着裙，左手提净瓶，赤足立于仰蓮臺上。

坐佛

唐

位于陝西銅川市耀州區藥王山摩崖。

高160厘米。

坐佛高肉髻，面相圓潤，頸刻蠶節紋，着通肩式大衣，左手作降魔印，結跏趺坐于束腰蓮座上。

地藏菩薩

唐

位于陝西銅川市耀州區藥王山摩崖。

地藏頭上螺髮爲後人補刻。地藏菩薩兩側出六雲朵，表現六道輪迴。

慈善寺石窟

位于陝西麟游縣漆水河西南岸。始鑿于隋仁壽年間（公元601-604年），開窟造像主要興盛于唐代。此石窟爲唐代皇帝到麟游消夏避暑做佛事而建。現存大窟三個、摩崖像龕九個，石雕造像三十九身。

坐佛

唐

位于陝西麟游縣慈善寺石窟第1窟正壁。

高360厘米。

坐佛肉髻低矮，面相方圓，細眉直鼻，頸刻蠶節紋，内着僧祇支，外着雙領下垂袈裟，結跏趺坐于須彌座上。

坐佛

唐

位于陝西麟游縣慈善寺石窟第1窟南壁。

高350厘米。

坐佛肉髻，面相長圓，細眉直鼻，頸刻蠶節紋，雙手結印，結跏趺坐。

坐佛

唐

位于陝西麟游縣慈善寺石窟第2窟。

高470厘米。

坐佛面相方圓，額中有白毫，細眉長眼，内着僧祇支，外着雙領下垂大衣，左手托摩尼寶珠，結跏趺坐。

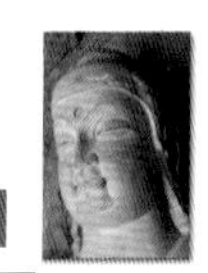

坐佛局部

坐佛

唐

位于陝西麟游縣慈善寺石窟第2窟北龕。

像通高80厘米。

坐佛高肉髻，面相方圓，細眉直鼻，外着雙領下垂大衣，右手作施無畏印，結跏趺坐。

菩薩

唐

位于陝西麟游縣慈善寺石窟第2窟北龕。

菩薩高髮髻，面相豐滿，右臂上彎，左臂下垂，外側有一浮雕長梗蓮花。

菩薩

唐

位于陝西麟游縣慈善寺石窟第2窟北龕。

像高90厘米。

菩薩高髮髻，面相豐滿，長髮披肩，戴項圈、臂釧，身挂瓔珞，左手持寶珠，右臂下垂。

迦葉

唐

位于陜西麟游縣慈善寺石窟第2窟南龕。

像通高90厘米。

迦葉相貌老成，内着僧祇支，外披袈裟，左手執瓶，右手上揚，立于圓臺上。

阿難

唐

位于陜西麟游縣慈善寺石窟第2窟南龕。

阿難呈少年沙彌狀，雙手捧盒，着雙領下垂袈裟。

鐘山石窟

位于陝西子長縣安定鎮。始鑿于北宋治平四年（公元1067年），其後歷代均有鑿修。現存洞窟五個。

佛龕

北宋

位于陝西子長縣鐘山石窟第3窟中壇。

主尊佛螺髻，身着大裙，左手撫膝，右手作手印，結跏趺坐于束腰須彌座上。佛左右爲弟子迦葉、阿難，均脚踏蓮臺，佛座前爲二菩薩。

迦葉

北宋

位于陝西子長縣鐘山石窟第3窟中壇。

高250厘米。

迦葉身體瘦削，斜披袈裟，袒右胸，雙手叠置胸前。

坐佛

北宋

位于陝西子長縣鐘山石窟第3窟左壇。

高375厘米。

佛螺髻，袒胸，結跏趺坐于仰蓮須彌座上。

菩薩 迦葉

北宋

位于陝西子長縣鐘山石窟第3窟左壇。

二像均高250厘米。

左側爲佛弟子迦葉，頭向左略傾，披雙領大衣，雙手置胸前，立于蓮臺上；右側爲脅侍菩薩，束高髻，戴寶冠，袒上身，佩項圈，下束裙，立于蓮臺上。

阿難

北宋

位于陝西子長縣鐘山石窟第3窟左壇。

高248厘米。

阿難閉雙目，雙手合十，着雙領大衣立于蓮座上。

迦葉

北宋

位于陝西子長縣鐘山石窟第3窟基壇右側。

高270厘米。

迦葉袒右肩，戴臂釧，雙手置于胸前，赤足立于蓮臺上。

坐佛

北宋

位于陝西子長縣鐘山石窟第3窟基壇右部。

高330厘米。

坐佛束髻，左手撫膝，右手作法輪印，倚坐，雙足踏蓮臺。

阿難 菩薩

北宋

位于陝西子長縣鐘山石窟第3窟基壇右側。

阿難面容清秀，頭微側，着雙領大衣立于蓮臺上；菩薩頭梳平髻，眉間有白毫，戴項圈，下束裙立于蓮臺上。

文殊菩薩

北宋

位于陝西子長縣鐘山石窟第3窟中壇。

高118厘米。

文殊菩薩頭戴高冠，妙衣緊身，半跏趺坐于仰蓮臺上，蓮臺置于走獅身上。

菩薩

北宋

位于陝西子長縣鐘山石窟第3窟。

像高85厘米。

菩薩束花髻，有白毫，戴項圈，袒上身，下着裙，立于蓮臺上。

水月觀音

北宋

位于陝西子長縣鐘山石窟第3窟右壁。

菩薩頭戴高鬟冠，頸刻蠶節紋，袒上身，半跏坐。

普賢菩薩

北宋

位于陝西子長縣鐘山石窟第3窟。

高105厘米。

普賢菩薩戴寶冠，手執法器坐于蓮臺上，蓮臺置于象身，象旁有一馴象人。

羅漢

北宋

位于陝西子長縣鐘山石窟第3窟。

羅漢均有頭光，結跏趺坐，着交領大袍，有漢僧也有胡僧。

石泓寺石窟

位于陝西富縣直羅鎮。始鑿于唐景龍年間（公元707–710年），金至明歷代有鑿修。現存洞窟十個、小龕六十五個，石雕造像三千三百七十一身。

坐佛

唐

位于陝西富縣石泓寺石窟第1窟。

坐佛肉髻，有圓形頭光，内着僧祇支，外披袈裟，結跏趺坐于須彌座上；佛左側菩薩左手握净瓶。

佛壇

金

位于陝西富縣石泓寺石窟第2窟。

窟平面呈方形。窟中央爲方形石壇，壇基四角有四柱通窟頂，壇基上爲坐佛和二弟子二菩薩。窟頂刻唐草、幾何紋圖案，中間有藻井。

坐佛

金

位于陝西富縣石泓寺石窟第2窟。

坐佛高肉髻，波狀髮，内着僧袛支，外披袈裟，結跏趺坐于蓮座上。

菩薩

金

位于陝西富縣石泓寺石窟第2窟。

菩薩戴五佛寶冠，着天衣，身挂瓔珞，左手執鈴，結跏趺坐于蓮座上。

水月觀音菩薩

金

位于陜西富縣石泓寺石窟第2窟。

觀音頭戴化佛寶冠，寶繒下垂，長髮披肩，挂長瓔珞，身繞帔帛，游戲坐。

水月觀音菩薩

金

位于陜西富縣石泓寺石窟第2窟。

觀音圓形頭光，面相豐滿，袒上身，瓔珞蔽體，身繞帔帛。

史家河石窟

位于陝西洛川縣槐柏鄉。開鑿于唐代，僅存一窟。

菩薩

唐

位于陝西洛川縣史家河石窟東基壇。

四尊菩薩頭皆殘，赤足立于蓮座上。

閣子頭石窟

位于陝西富縣段家莊。開鑿于北宋政和二年（公元1112年），現存洞窟四個。

涅槃圖

北宋

位于陝西富縣閣子頭石窟第1窟。

釋迦叠足而卧，眼微閉，周圍弟子比丘掩面而泣，神態各异，床前獅子作悲鳴狀。

雙龍萬佛寺

位于陝西黄陵縣西峪村。開鑿于北宋紹聖二年至政和五年（公元1095–1115年）。僅存一窟。

倚坐佛

北宋

位于陝西黄陵縣雙龍萬佛寺。

高278厘米。

佛倚坐，雙足踏于蓮座上，肉髻上有摩尼寶珠頂嚴，身披袈裟，作説法狀。

阿育王施土緣

北宋

位于陝西黄陵縣雙龍萬佛寺北壁。

佛站于蓮座上，披寬袖雙領下垂式袈裟，左手托鉢。佛上方有二飛天，下方有二童子。此表現阿育王前世孩童時以土布施供養佛之因緣故事。

千手觀世音菩薩

北宋

位于陝西黄陵縣雙龍萬佛寺東壁。

菩薩圓形背光，六面，有雙手上舉一坐佛，胸前雙手合十，雙手于腹前捧净瓶，其餘各手執塔、弓、箭、珠等法器，赤足立于蓮座上。

倚坐佛

北宋

位于陝西黄陵縣雙龍萬佛寺東壁。

佛平肉髻，着雙領大衣，倚坐于方座上。

觀世音菩薩

北宋

位于陝西黄陵縣雙龍萬佛寺甬道南壁。

菩薩戴化佛高寶冠，内着僧祇支，外披窄袖衣，結跏趺坐于蓮座上。

水月觀音菩薩

北宋

位于陝西黄陵縣雙龍萬佛寺。

菩薩戴化佛冠，頸刻蠶節紋，斜披妙衣，袒右胸，左腿踩于座上，左臂搭于膝頭，右手撑座，右腿踏蓮臺。蓮臺下爲仙山，仙山左側爲一沙彌，右側爲二供養人。

須彌山石窟

位于寧夏固原市原州區西北須彌山東麓。始鑿于北魏末西魏初，興盛于北周和唐代，金、明、清有改鑿和裝修。現存窟龕一百一十三個，石雕造像三百一十五尊。

佛龕

北周

位于寧夏固原市須彌山石窟第45窟中心柱正面。

帳形龕，龕楣飾帳褶、垂鱗紋、帳架、瓔珞等物，兩側垂流蘇。龕内雕一佛二菩薩。

坐佛

北周

位于寧夏固原市須彌山石窟第45窟中心柱右面龕。

帳形龕内雕一佛二菩薩。主尊佛肉髻低平，面相方圓，着雙領下垂式袈裟，結跏趺坐。兩側爲二脅侍菩薩。

伎樂（上圖）

北周

位于寧夏固原市須彌山石窟第45窟中心柱基座。

左側浮雕博山爐，右側兩身伎樂均作半跪狀，分别持簫和竽。

伎樂

北周

位于寧夏固原市須彌山石窟第45窟中心柱基座。

右側爲博山爐，左側爲伎樂，伎樂單腿跪坐，袒上身，手中分别持箜篌和曲頸琵琶等。

佛龕

北周

位于寧夏固原市須彌山石窟第46窟右壁。

左側龕内雕一交脚菩薩和二脅侍菩薩。交脚菩薩戴花鬘冠，雙肩敷搭披巾，坐于須彌座上，兩側爲二脅侍菩薩。右側龕内雕一立佛，肉髻低平，赤足而立。

坐佛

北周

位于寧夏固原市須彌山石窟第51窟後壁。

高620厘米。

坐佛肉髻低平，面相方圓，内着僧祇支，外披雙領下垂式袈裟，手作禪定印，結跏趺坐。

坐佛局部

坐佛

隋

位于寧夏固原市須彌山石窟第67窟中心柱右壁。龕内雕一佛二菩薩。佛像肉髻低平，面長圓，結跏趺坐于束腰須彌座上，兩側菩薩立于仰覆蓮座上。

立佛

唐

位于寧夏固原市須彌山石窟第1窟。

高485厘米。

立佛螺髻，面相渾圓，身着交領袈裟，左手托藥鉢，立于仰覆蓮座上。

倚坐佛

唐

位于寧夏固原市須彌山石窟第5窟。

高2060厘米。

佛像螺狀髮髻，面相豐圓，内着僧衹支，外披雙領下垂式袈裟，倚坐，足下踏蓮座。

倚坐佛

唐

位于寧夏固原市須彌山石窟第105窟中心柱正面龕。龕内雕一佛二菩薩，佛螺髮，面相豐頤，着雙領下垂袈裟，左手撫膝，倚坐于束腰叠澀方座上。兩側菩薩立于仰覆蓮座上。

菩薩

唐

位于寧夏固原市須彌山石窟第105窟中心柱正面龕。

菩薩頭束高髻，戴項圈，肩搭帔巾，下着羊腸裙，立于仰覆蓮座上。

菩薩

唐

位于寧夏固原市須彌山石窟第105窟中心柱右面龕。

菩薩束高髻，髮辮垂肩，戴項圈，挂瓔珞，下着羊腸裙，立于蓮座上。